文言读本

朱自清　叶圣陶　吕叔湘　编

生活·读书·新知三联书店

写
在
前
面

　　这本书是《开明文言读本》的改编本。《开明文言读本》成书于上个世纪四十年代末，由朱自清、叶圣陶和吕叔湘三位先生合编。《开明文言读本》是当年开明书店汇集一些名家编印的系列国文教材中的一种，原计划出六册，实际只出了三册。1978 年，叶圣陶、吕叔湘先生删去《开明文言读本》中若干篇课文，将原来的三册合并成一册，即为本书。

　　本书的编纂仍沿用《开明文言读本》的体例。开篇是长达三万字的《导言》，分别谈了"文言的性质"、"语音"、"词汇"、"语法"、"虚字"五个方面的问题，扼要地概述了文言的性质和古汉语的基础知识，对近二百个文言文中常见的虚词，包括代词、介词、连词、语助词、副词等，按它们的意义分别举例说明，可供学生翻检。这一部分内容专业性强，但在三位先生的笔下，生动有趣，绝无枯燥之感。

本书选文很有特点，如大量选取宋朝以后的文章，还有部分的近代作家的文章，并减少了纯文艺作品的比例，更多选用的是实用文。全书共选三十二篇文章，包括小品、佛经、笔记、序跋、小说、古风、近体律绝、家训、政论等体裁，同时，甘愿冒被人视为"杂乱"的风险，收入一些不合古文家义法的作品，以使学习者能更多地接触、更多地体会古书、古文中的多种文字风格。

为了便于学生学习、理解古文，每篇文后有作者及篇题、音义、古今语、虚字、语法、讨论及练习等内容。但与现代教材不同的是，其中没有过多关于虚词、语法、今古词义等内容的重复复习和训练，而是有针对性地将这些内容置于教材之中，根据学生学习程度，由浅入深，由辩识到熟悉，由熟悉到理解，融会贯通。

"讨论及练习"部分是本书的另一大特色，注重将文章本身如立意、布局、技法和语言运用等与作者的文风、时代的特征、地方的习俗、典章制度的流变等内容融合在一起，所提问题，让学习者开动脑筋，达到举一反三的作用。另外，编者还特意编排了一些"白文"，供学生断句和标点。这对于学习文言文，也是行之有效的方法。

朱自清（1898 — 1948）、叶圣陶（1894 — 1988）、吕

叔湘（1904—1998）三位先生生前都一直对中小学语文教育有浓厚的兴趣，合作编写过大量语文教材和读物。可惜朱自清早逝，解放后叶圣陶和吕叔湘继续这项工作。叶圣陶曾任教育部副部长、人民教育出版社社长和总编辑，主持了第一套全国统一的小学语文课本的编写和出版；吕叔湘曾任中国社会科学院语言研究所所长、中国语言学会会长。他们对中小学语文教育的贡献意义深远。

　　本书原以繁体字排印，为方便当下学生阅读，改为简体字排印，但书中一些涉及古今之义相异的字，简化后为同一字，无法体现其古义，故仍沿用繁体字，以示二者之间的区别。

生活·读书·新知三联书店编辑部

2009 年 12 月

前

言

　　这本《文言读本》是《开明文言读本》的改编本。《开明文言读本》出版到现在已经三十年了，因为现在还缺少性质相同的书可以用来代替，我们应出版社的要求，把它改编重印。所说改编，主要是删去若干篇课文，把原来的三册合并成一册。原先有一篇"编辑例言"说明编辑的宗旨和方针，节引如下：

　　　　我们编辑这套读本，有两点基本认识作为我们的指导原则。第一，我们认为，作为一般人的表情达意的工具，文言已经逐渐让位给语体，而且这个转变不久即将完成。因此，现代的青年若是还有学习文言的需要，那就只是因为有时候要阅读文言的书籍：或是为了理解过去的历史，或是为了欣赏过去的文学。写作文言的能力决不会再是一般人所必须具备的了。

第二，我们认为，在名副其实的文言跟现代口语之间已有很大的距离。我们学习文言的时候应该多少采取一点学习外国语的态度和方法，一切从根本上做起，处处注意它跟现代口语的同异……

这两点决定了我们的选材和编制。我们把纯文艺作品的百分比减低，大部分选文都是广义的实用文。我们不避"割裂"的嫌疑，要在大部书里摘录许多篇章，我们情愿冒"杂乱"的讥诮，要陈列许多不合古文家义法的作品。我们既不打算提供模范文给读者模仿，而阅读从前的书籍又的确会遇到这各种风格的文字，我们为什么不能这么办？……

对上面的话需要补充说明的是：一，文言作为通用的书面语的时代已经一去不复返了。二，要求学习文言时注意辨别它跟现代语的异同，是为了防止用现代的字义和句法去读古书，误解古书文义，也是为了纠正在语体文中滥用文言词语的不良风气。

《开明文言读本》原来计划编成六册一套，供高中三年教学之用，但是只编了三册，没有完成计划。第一、二册课文的排列按内容深浅，不依时代先后。第三册里选用的课文，除诗歌外，都是宋朝以后的作品，宋朝以前的只选了一篇。按原来的计划，后三册的课文以唐朝以前的史传、诸子和后世的学术文为主，也要选一部分文学作品。

关于这本书的体例，有几点说明：

一，为了使读者逐渐熟悉古文，以后读古书的时候不至于感觉困难，在二十七、二十八、三十等课，留出一小部分篇段不加标点，让读者自己去点断。木版古书一般是不断句的。按原来的设想，从第三册开始引进无标点的课文，逐册加多，到第六册就大部或全部不加标点。二十九、三十二两课的诗也只断句，不加新式标点。

二，卷首有一篇导言，说明文言和现代语的种种区别，并且罗列了一百多个普通称为虚字的字，把它们的用法分项举例说明。虚字部分主要是供读者检查参考，完全没有读过文言文的，对于其中所引的例句也许不能完全明白。有些虚字写法不同，用法一样，如"邪"和"耶"，就只作一条。有些虚字最初的用法是有分别的，但是很早就已经分不清了，如"於"和"于"，也并作一条。

三，每篇课文之后有几种帮助学习的项目。

（一）"作者及篇题"：对于这二者作简单的说明。（二）"音义"和（三）"古今语"：解释课文里的词语。现代语里已经完全不用的字，人名地名，事实和制度的说明等等归入"音义"，现代语里形式略变或意义略变，还有限制地使用的字归入"古今语"。（四）"虚字"：这一项里面只把本篇的虚字在导言里的节数标明，除例外用法之外不再注解。在一、二、三、四课，差不多每个虚字都这样指明；第五课以后，少数常用虚字的常见用法（都已见于前四课）从略。如果需要查考，可以看目录。（五）"语法"：指出除虚字以外的语法上值得注意的事项。（六）"讨论及练习"：包括对于课文内容、文章形式、词语应用等各方面的讨论，以及翻译和造句的练习。翻译的目的在于促进对于课文的更确切的了解。造句的练习也还是为了增进读者对于文言字法句法的认识，并不期望读者能由此习作文言。（五）（六）两项中有时候要参考导言，用括号注明节次。

从一课到十五课，这六个项目全有。从十六课起减去（三）（四）两项，希望读者自己去辨别"古今语"的异同，认清"虚字"的用法，从辨认中达到熟悉。从二十六课起又减去"语法"和"练习"，只留"作者及篇题"、"音义"和"讨论"。

此外，在所选的诗后面增加"诗体略说"一项，说明各诗的体制用韵等等。

四，在"音义"和"古今语"这两项里，我们用了少数符号和一个缩语来代替普通的解释用语，这里举例说明：

～ 代表：（一）方括号里的字，例如：【惭】～愧。【渐】～～的。（二）方括号里的同地位的字，例如：【制钱】小～。【花朝】～圃。（三）方括号里的两个字，例如：【中外】～国～国。

＝ 意义相同。例如：【慎】谨～（＝小心）。

≠ 意义不同（后一意义比较常见，在这里有误会可能）。例如：【卒】当差的，≠兵。【歎】赞美，≠嘆气。

≡ 等于另外一个字（在后的一个比较常见）。包括两种情形：（一）这两个字到处一样，从前所谓"同"，例如：【麤】≡粗。（二）在某一意义上，这两个字一样，从前所谓"通"，例如：【反】回来。（≡返。）

≢ 字形相近，注意辨别。例如：【彊】强横。（≡强，≢疆。）

今只 （一）在逗号之后，表示这个意义现在只见于合成语。例如：【足】够，今只～够，满～。（二）在句号之后，表示这个字现在只用于另一意义。例如：【谨】恭敬。今只～慎。【素】白。今只＝纯色（～的，不是花的）。

我们这种注释的办法，尤其是"古今语"一栏的一部分，如：【一日】～天，【上】～头，【偶】～然，这些都入注，似乎是多余的。可是我们相信，对于一个完全没有接触过文言的人，这些注释的绝大多数是有需要的。有少数不注也可以明白的，注了也能帮助他确定古今形式的不同，对于他在语体方面的学习也不无益处。

改编这本书的时候，徐仲华同志替我们从头到尾检查了一遍，改正了一些错误，填补了不少缺漏，又帮我们看了校样，谨致由衷的感谢。《开明文言读本》的编者除我们两个还有朱自清先生，现在改编问世，他已经看不见了。

叶圣陶　吕叔湘

一九七八年六月一日

# 目　录

# 导言

## 一　文言的性质

**一**　一篇文章，是用语体写的还是用文言写的，大致一看就能分别，虽然不是没有在界限上的例子。文言和语体的区别，若是我们要找一个简单的标准，可以说：能用耳朵听得懂的是语体，非用眼睛看不能懂的是文言。

文言到底是什么东西？有人说文言就是古代口语的记录，有人说只是一种人为的笔语，是历代文人的集体努力的产物。这两种说法可以说是都对都不对，因为"文言"这个名称包括许多不同时代和不同式样的文章。在时间上，从甲骨文字到现在有三千多年；在风格上，有极其典雅奥僻的，也有非常浅近通俗的。世界上没有，也不可能有，完全没有口语作根底的笔语，文言不会完全是人为的东西。可是文言也不大像曾经是某一时代的口语的如实的记录，如现代的剧作家和小说家的若干篇章之为现代口语的如实的记录。

在各式各样的文言之中，我们可以提出一种来称之为"正统文言"，这就是见之于晚周两汉的哲学家和历史家的著作以及唐宋以来模仿他们的所谓古文家的文章的。这一路的文言在当初大概跟口语相去不太远，还在听得懂的范围之内。可是口语是不断地在变化的，一个人的一生几十年里头也许觉察不出，可是经过三五百年，积小变为大变，这前后两个时代的人说的话就会到了不能互相了解的程度。笔语呢，假如是大体上跟着口语走的，那么也会变得很厉害。可是如果后一代的人竭力模仿前一代的文章，那么也许变得很少，虽然绝对不变是办不到的。正统文言就是这样形成的。

除了正统文言，我们一方面有比它更古奥，更富有方言色彩的甲骨文、金文和《尚书》里的文章，又有比它后起的，更多一番雕琢，离开同时代的口语更远的辞赋、骈文之类。另一方面也有或多或少地容纳口语成分的通俗文言，如一部分书信、官文书、笔记小说、翻译文章之类。唐朝以后又渐渐地有更接近口语的文体出现，如有些诗和词，许多和尚和道学家的语录。到了宋朝的平话小说，那简直就是语体了。元明以来的戏曲，曲文本身是一种文言和语体混杂的很特别的文体，可是说白部分是相当纯粹的语体。这些个语体文章一向不受文学家的重视，只当作一种游戏笔墨，一直到了三十年前的新文学运动起来，才由附庸变为大国，逐渐替代了文言，作为一般应用的文体。

二 为什么别的民族很少有类似我们的"文言"的呢？原来文言的形成并非完全，甚至并非主要的由于中国读书人的崇古的心理，而另有一个物质的基础——汉字。假如用的是标音的文字，笔语就不能不跟着口语走。汉字有一个特点，各时代的人可以按各时代的读音去读同一个字。譬如耳朵，古代人管它叫 ńzí，现代人管它叫 ěr duo，倘若就照这个样子写成字，现代的人学习古代的文字是相当困难的。可是当初写成个"耳"字，尽管古代人读 ńzí，现代人却不妨读 ěr，让它代表口语里的 ěr·duo，那么现代人学习古代的文字就并不太难了。当然，写成"耳朵"，现代人更容易明白。可是人是有惰性的，多写一个字多一分麻烦（而且当初也许曾经有过这个 duo 字究竟该怎么写的问题），一个"耳"字能对付也就算了。"耳"这个字是难易适得其中的例子。一方面有用"目"代表 ngan 或 yen 的例子，古今全无联系，可是另一方面也有"牛"、"马"、"鱼"等等古今完全相通的例子。有了汉字这种物质基础，再加上人类固有的惰性（崇古也无非是惰性的一面），于是产生了"文言"。可是文言在应用上的困难是随着口语的变动而逐渐增加的。尤其是到了现在，我们的生活在剧烈的变化之中，新事物和新观念层出不穷，那打算以不变应万变的文言确实应付不了了，我们也就不得不改用语体了。

语言的变动有三个方面：语音，词汇，语法。我们就依着这个次序说明文言和现代语中间的差异。

## 二 语 音

三 我们在上面已经说过，语音尽管在那里变，这个变动大体上是不表现在文字上的。现在诵读文言，实际上是用的现代的字音，甚至不妨说是用的各人的方音（许多平常说国语的人读古书是用方音的）。所以除了研究中国音韵学的人，大家不去理会，也不必去理会，一个字的古音怎么样。可是在诵读文艺作品的时候多少有点影响。

第一是韵脚。因为语音的变动，原来同韵的字现在会不同韵。例如：

水国秋风夜，殊非远别时。长安如梦里，何日是归期？（李白）

"时"和"期"现在显然不同韵。我们既不能勉强一般读者用古音去读这两个字（而且通篇不用古音，独独韵脚用古音，也不像话），更不能像有些冬烘先生所主张的那样用今音去凑合，把"时"字读的像"席"或是把"期"字读的像"池"，只有不押韵就不押韵得了。

其次是入声的问题。现在国语和北方官话区方言都没有入声，古代的入声字都分派到平、上、去声里去了。这有时候也影响到韵脚。例如：

千山鸟飞绝，万径人踪灭。孤舟蓑笠翁，独钓寒江雪。（柳宗元）

这首诗里"绝"、"灭"、"雪"三个入声字押韵。现在国语里"绝"读阳平，"灭"读去声，"雪"读上声，没有两个字的声调相同了。

这个入声韵的问题牵涉到的范围还小。从前人又把上、去、入三声总括为仄声，跟平声对立起来。这个平仄对立的原则，不但是诗词里声律的基础，并且应用在骈文里，也应用在散文中的骈句里。一个入声字若是凑巧现在读上声或去声，那还在仄声的范围之内，没有多大关系；若是不巧而读平声，那就影响这些诗文的声律了。

入声字在诵读的时候也许比较容易补救，比如说把它读的像去声而极短，短到足以和去声分别。困难在于辨识现在的阴、阳、上、去声的字里哪些是原来的入声字。这没有简单的规则可以供我们应用，只有遇到犯疑的字就去查字典。我们在选读的诗词里在入声字旁边加点作记。


## 三 词 汇

**四** 文言的语词跟现代语的语词比较起来，有相同的，有不同的，也有部分相同的，也许最后的一种最多。文言里的语词大多数是单音词，现代语里大多数是复音词，尤其是双音词。这些双音词往往包含文言里的同义的单音词，例如"耳朵"里包含"耳"。

比较文言和现代语的词汇，我们可以分这么几类：


（一）文言语词跟现代语语词相同

**五** （甲）单音词。

人 手 心 笔 墨 书 铜 铁 盐 牛 马 羊

有 来 收 放 嫁 娶 爱 怨 吐 笑 抱 扫

大 小 长 短 方 圆 正 直 轻 重 冷 热

**六** （乙）多音词。

蟋蟀 蝴蝶 天文 地理 国家 制度 规则 婚姻 山水

选择 发挥 主张 调和 商量 欣赏 经营

聪明 正直 凄凉 萧条 寂寞 逍遥 滑稽

（二）文言语词跟现代语语词的形式相同，但意义已变

七 （甲）单音词。

| （古）（今） | （今）（古） | （古）（今） | （今）（古） |
|---|---|---|---|
| 走／跑 | 走／行 | 江／长江 | 江（通名） |
| 去／离开 | 去／往 | 河／黄河 | 河（通名） |
| 回／拐弯 | 回／返 | 股／大腿 | 股（单位词） |
| 说／劝说 | 说／言 | 乐／快活 | 乐／笑 |
| 捉／握 | 捉／捕 | 严／厉害 | 严／密 |
| 兵／兵器 | 兵／士卒 | 贼／叛逆 | 贼／盗 |
| 快／称心 | 快／疾 | 吃／结巴 | 吃／食 |

这儿的最后一例实在是两个语词，只是偶然用了同一个字形。"快"字之例也许是两个语词。另外那些个就显然只是一个语词，古义和今义之间明明有关系，可是已经相去甚远了。

这是比较的界限分明的例子。此外还有些语词，现代的意义古代已经有，但不是主要的意义，后者现代已经完全不用。如：

| （古代的主要意义） | （古代的次要意义<br>现代的唯一意义） |
|---|---|
| 偷：苟且 | 窃，盗 |
| 慢：不加礼貌 | 徐，不疾 |

八 还有些语词，现代的意义比古代的大。如"嘴"字，古代写"觜"，只指鸟嘴，现在用于一切动物的嘴。

如"红"字，古代只指浅红色，现在用于一切红色。"哭"，古时候只指有声音的，没有声音的叫"泣"，现在不管有没有声音都叫"哭"。"想"，古时候只是"想念"、"惦着"的意思，现在变成一般的想，和古代的"思"相当。

九　跟这个相反，有些语词的现代意义比古代的范围缩小了。如"汤"，古代指热水，现代只指里面有菜的。又有些语词的主要意义已经改用别的语词，可是引申的意义倒还保存着。如"口"的主要意义已经改用"嘴"，可是"出口"、"入口"、"井口"、"瓶口"都还是"口"。"面"的主要意义已经让"脸"字替代了，可是"面子"、"地面"、"桌面"、"门面"里头还是用"面"字。（"脸"本来只指"目下颊上"那一小块，所以从"脸"字这方面看，又是意义扩大，跟"嘴"字一样。）

以上所说的古义的"古"，今义的"今"，都只是个大概的说法。严格地说，古义应该给它一个死亡的时代，今义应该给它一个诞生的时代。这就有待于一部比现有的各种字典更完备的汉语词典了。

一〇　（乙）多音词。

| （古） | （今） |
| --- | --- |
| 国语：书名 | 现代中国标准语 |
| 数学：阴阳变化之学 | 算学 |

| | |
|---|---|
| 交通：交际，勾结 | 客货和邮电往来 |
| 书记：图书 | 缮写员 |
| 口号：旧诗诗题 | 嘴里喊出来的标语 |
| 口舌：言语 | 争论 |
| 中心：心里 | 正中 |
| 大意：大概的意思 | 疏忽 |
| 消息：生灭，盛衰 | 音讯，新闻 |
| 时髦：一时的英才 | 一时的崇尚 |
| 影戏：影子戏，皮人儿戏 | 电影 |

（三）文言语词跟现代语语词部分相同

—— （甲）文言单音词包含在现代多音词里边。

鼻子　孙子　鸭子　橘子　带子　珠子　银子

鸟儿　盆儿　口儿　根儿　绳儿　名儿　事儿

舌头　指头　拳头　石头　木头　前头　外头

老鼠　老虎　老鹰

耳朵　眉毛　胸脯　肩膀　膝盖　翅膀　月亮　云彩　螺蛳

蝗虫　国家　窗户　睡觉　欺负

头发　嘴唇　巴掌　蚂蚁　螃蟹　虼蚤　兄弟　毛病　干净

热闹　讨厌　可怜　相信

以上是文言的一个单音词跟现代语的一个多音词相当。现
代语里添上去的一个字，有些是本来没有意义的，如"巴
掌"的"巴"；大多数是本来有它自己的意义，可是在这

里不用这个意义，如"老鼠"的"老"，"相信"的"相"；至少是不增加那主要的字的意义，如"头发"的"头"，"眉毛"的"毛"；甚至必不可保留本来的意义，如"窗户"的"户"，"兄弟"的"兄"。

一二　（乙）文言多音词跟现代多音词有一部分相同。

| （古）（今） | （古）（今） |
|---|---|
| 夫妇：夫妻 | 白日：白天 |
| 姊妹：姐妹 | 蚱蜢：蚂蚱 |
| 兄弟：弟兄（成素同，次序变） | |

这一类情形不很多，大率文言的那一个在现代也还可以用。

一三　（丙）合两个文言单音词成一个现代多音词。

身体　头脑　皮肤　妇女　泥土　墙壁　技术　行为　思想
语言　树木　官长
单独　美丽　恶劣　空虚　悲哀　骄傲　懒惰　危险　吉利
困难　省俭　孝顺
追逐　更改　生产　制造　分析　觉悟　依赖　增加　考试
死亡　忍耐　观察
伯伯　叔叔　舅舅　姑姑　轻轻　渐渐　足足

这一类语词里有些也可以用在文言里边，至少是现代的通俗文言里边，所以这一类跟第六节那一类例子不容易分清界限。

（四）文言语词跟现代语语词全不相同

**一四** （甲）都是单音词。

| （古） | （今） | | （古） | （今） |
|---|---|---|---|---|
| 目： | 眼 | | 足： | 脚 |
| 冠： | 帽 | | 履： | 鞋 |
| 食： | 吃 | | 饮： | 喝 |
| 击： | 打 | | 引： | 拉 |
| 甘： | 甜 | | 辛： | 辣 |

这一类的例子太多了。前面第七节所引的例子，有好些个分开来看，都可以归入这一类，如"走：跑"、"行：走"。

**一五** （乙）都是多音词。

| （古） | （今） | | （古） | （今） |
|---|---|---|---|---|
| 蚯蚓： | 曲蟮 | | 苜蓿： | 金花菜 |
| 侏儒： | 矮子 | | 肩舆： | 轿子 |
| 怂恿： | 撺掇 | | 纵容： | 放任 |
| 义父： | 干爹 | | 后母： | 晚娘 |
| 汤饼： | 面条儿 | | 蒸饼： | 馍馍，馒头 |

**一六** （丙）文言是单音词，现代语是多音词。

| （古） | （今） | | （古） | （今） |
|---|---|---|---|---|
| 妾： | 姨太太 | | 婢： | 使女 |

| | |
|---|---|
| 日：太阳 | 犊：小牛 |
| 雉：野鸡 | 蛙：田鸡 |
| 廉：便宜 | 富：有钱 |
| 耕：种地 | 汲：打水 |
| 弈：下棋 | 博：赌钱 |
| 忆：想起 | 举：提起 |
| 遣：打发 | 罢：取消 |
| 弛：放松 | 敛：收缩 |

一七　除了以上所举各类以外，还有文言所特有的语词，现代语里没有语词跟它相当的，如"冕"、"笏"、"骖"、"骓"、"魑魅"、"魍魉"等等。跟这相对，又有现代语所特有，文言里没有语词跟它相当的，如"糊涂"、"马虎"、"尴尬"、"张罗"、"鼓捣"、"磨蹭"、"索性"等等。

关于词汇，我们应该注意的是文言跟现代语不同的那些个，尤其是表面相同而实际不同的（七、八、九、十），那些古今一致的是无须我们去费心的。


## 四　语　法

文言的语法大体上跟现代语的语法相去不远，值得说一说的有底下这三点。

（一）语词的变性和活用

现代语里的语词有时也能改变词性，但不及文言里常见。

**一八** 动词和形容词用如名词。例如：

吾见师之出而不见其入也。

宁武子……其知可及也，其愚不可及也。

夫心之精微，口不能言也；言之微妙，书不能文也。

摧枯拉朽；乘坚策肥；欺贫爱富；骄上凌下。

**一九** 名词用来修饰动词。例如：

豕人立而啼。

入则心非，出则巷议。

星罗棋布；土崩瓦解；乌合，星散；瓜分，蚕食。

**二〇** 名词变动词。例如：

衣冠而见之。

喜怒不形于色。

但观之，慎勿声。

老父曰："履我。"

以其兄之子妻之。

**二一** 形容词变动词。例如：

苦其身，勤其力。

敬鬼神而远之。

相公厚我厚我。

**二二** 形容词和名词变动词，有"以……为"意。例如：

　　滕公奇其言，壮其貌，释而不斩。

　　渔人甚异之。

　　不远千里而来。

　　登东山而小鲁，登泰山而小天下。

　　孟尝君客我。

**二三** 名词、形容词和一般动词变成有"致使"意的动词。例如：

　　适燕者北其辕，适越者南其楫。

　　正其衣冠，端其瞻视。

　　赵孟所贵者赵孟能贱之。

　　小子，鸣鼓而攻之，可也。

　　进不满千钱，坐之堂下。


**（二）句子各部分的次序**

**二四** 句子的格局是语法的最保守的部分，所以文言里句子各部分的次序，跟现代语比较起来，并没有多大的不同。重要的差别只有底下几点：

**二五** 用疑问代词作宾语，放在动词之前。例如：

　　吾谁欺？欺天乎？

　　子何恃而往？

　　何为则民服？

泰山其颓，则吾将安仰？

二六　否定句里用代词作宾语，放在动词之前。
例如：

时不我待。

岂不尔思，子不我即。

盖有之矣，我未之见也。

楚君之惠，未之敢忘。

尔毋我诈，我毋尔虞。

不患莫己知，患无以知也。

每自比于管仲、乐毅，时人莫之许也。

二七　倒装的宾语跟动词中间有"之"或"是"字。
例如：

吾斯之未能信。

非夫人之为恸而谁为？

君人者将祸是务去。

且吴社稷是卜，岂为一人？

这一类句子又往往在前面有"惟"字。"惟……
是……"构成一个熟语，现在还残留在"惟你是问"这句
话里。

不知稼穑之艰难，不闻小人之劳，惟耽乐之从。

父母唯其疾之忧。

除君之患，唯力是视。

率师以来，唯敌是求。

二八 "以"字的宾语常常放在前头。例如：

礼以行之，逊以出之，信以成之。

勤以补拙，俭以养廉。

其有不合者，仰而思之，夜以继日。

若晋君朝以入，则婢子夕以死；夕以入，则朝以死。唯君

裁之。

复合连词"是以"也就是用的这个格式。

二九 一般的宾语倒装，或是为了加重，或是为了宾
语太长，现代语也常常应用这个格式，如"这里的事情，
你不用管"，但是在文言里常常在动词之后补一个代词。
例如：

俎豆之事，则尝闻之矣；军旅之事，未之学也。

晋侯在外十九年矣。险阻艰难，备尝之矣；民之情伪，尽知
之矣。

死马且买之千金，况生马乎？

是疾也，江南之人常常有之。

三〇 "以……"和"于……"往往跟现代语里
的"拿……"、"在……"的位置不同。例如：

与以钱，不受。（拿钱给他。）

喻之以理，动之以情。（拿道理说给他听，拿感情打动
他。）

一人脱衣，双手捧之，而承以首。（拿脑袋顶着。）

遇之于涂。（在路上遇见他。）

杂植竹木于庭。（在院子里种了些树跟竹子。）

努力于此，毕生不懈。（在这件事情上努力。）

可是跟现代语里位置相同的也很多。例如：

吾不能拱手以天下与人。（把天下给别人。）

以一指探鼻孔，轩渠自得。（拿一个指头掏鼻孔。）

久之，能以足音辨人。（能凭脚步声音辨别是谁走过。）

寓书于其友。（写信给他的朋友。）

其术不传于外。（不流传到外边。）

于心终不忘。（在心里一直忘不了。）

非所当于道路问也。（在路上问。）


（三）句子各部分的省略

三一　主语的省略，文言跟现代语同样的常见。也许
比现代语里更多，因为文言少一个可以用作主语的第三身
代词——"之"和"其"不用作主语，"彼"字语气太
重——所以不是重复上文的名词就是省去不说。尤其应
该留意的是不止一个主语被省略的时候。例如：

郤子至，请伐齐，晋侯不许。〔　〕请以其私属，〔　〕又
不许。

〔　〕射其左，〔　〕越于车下；〔　〕射其右，〔　〕毙于
车中。

陈太丘与友期行，期日中。〔　〕过中不至，太丘舍去，
〔　〕去后〔　〕乃至。

三二　宾语的省略。最常见的几种格局是：第一个动词之后的宾语，兼作第二个动词的主语的。如：

寡人有弟不能和协，而使〔　〕馌其口于四方。

勿令〔　〕入山，山中虎狼恶。

日出，乃遣〔　〕入塾。

今而后吾将再病，教〔　〕何处呼汝耶？

夏蚊成雷，私拟〔　〕作群鹤舞空。

乃公推〔　〕为乡长。

三保以〔　〕为难，却其言不用。

三三　"以"字后头的宾语：

古之为关也，将以〔　〕御暴；今之为关也，将以〔　〕为暴。

以〔　〕攻则取，以〔　〕守则固，以〔　〕战则胜。

贫者自南海还，以〔　〕告富者。

以四事相规，聊以〔　〕答诸生之意。

三四　"与"字后头的宾语：

见外犬在道甚众，走欲与〔　〕为戏。

客不得已，与〔　〕偕行。

众人怀安，不足与〔　〕图大事。

可与〔　〕言而不与〔　〕言，失人；不可与〔　〕言而与〔　〕言，失言。

三五　"为"字后头的宾语：

先生不羞，乃有意欲为〔　〕收责于薛乎？

即解貂覆生，为 [ ] 掩户。

余思粥，担者即为 [ ] 买米煮之。

我死，幸为 [ ] 转达。

三六　"从"字后头的宾语：

八龄失母，寝食与父共，从 [ ] 受国文，未尝就外傅。

时过其家，间从 [ ] 乞果树。

"于"字后头省宾语的例子不见，拿"焉"字来代"于之"。

三七　宾语后头跟着"以……"或"于……"的时候：

余告 [ ] 以故，众咸叹服。

其畜牛也，卧 [ ] 以青丝帐，食 [ ] 以白米饭。

乃合父老子弟，刑牲而盟，授 [ ] 以器，申 [ ] 以约，课 [ ] 以耰耡，齐 [ ] 步伐，导 [ ] 和睦。

取大鼎于宋，纳 [ ] 于太庙。

家贫无书则假 [ ] 于藏书之家而观之。

三八　其他的例子：

求 [ ] 则得之，舍 [ ] 则失之。

为之，则难者亦易矣；不为 [ ]，则易者亦难矣。

何者？功多，秦不能尽封 [ ]，因以法诛之。

主人恐其扰，不敢见 [ ]。

张建封美其才，引 [ ] 以为客。

褚公名字已显而位微，人多未 [ ] 识。

熙宁中高丽入贡，所经州县，悉要地图。所至皆造 [  ]
送 [  ]。

三九　主语和宾语之外，"以"和"于"这两个介词
也常常省去。省"以"字的例子：

陈人使妇人饮之 [以] 酒。

客闻之，请买其方 [以] 百金。

[以] 目逆而送之，曰："美而艳。"

群臣后应者，臣请 [以] 剑斩之。

四〇　省"于"字的例子：

予自束发，读书 [于] 轩中。

或失足 [于] 田中，或倾身 [于] 岸下。

饮 [于] 旅馆中，解金置 [于] 案头。

秦始皇大怒，大索 [于] 天下。

四一　最后，我们还常常遇见省"曰"字的主语以及
连"曰"字也省去的例子：

孟子曰："许子必种粟而后食乎？"

[陈相] 曰："然。"

"许子必织布而后衣乎？"

曰："否。许子衣褐。"

"许子冠乎？"

曰："冠。"……

"曰"字相当于现代的"说"。我们叙述两个人的对话，
不得不交代清楚，这句话是谁说的，那句话是谁说的；所

以旧小说里一定不厌烦地左一个"某某道",右一个"某某道"。现在有了标点符号,各人说的话前后用引号标明,自然不至于相混,所以我们可以省去一部分"某某说"。谁知二千年前的古人已经有这种办法。可是古书是没有标点的,两个人的话连写在一起,完全要靠文义来分别。一不留心便会弄错,读古书的时候要十分当心。

## 五　虚　字

四二　文言的句法虽然跟现代语大致相同,所用的虚字可是大多数全不相同。为初学的人的方便,下面把文言里常见的一些虚字按它们的意义分别举例说明。这里所说的虚字范围较广,不但是代词、介词、连词、语助词,还包括好些个副词;换句话说,除了名词、动词、形容词。当然,这里不能把所有这几类词尽数罗列,有些生僻的字和有些字的生僻的意义都没有收在里面。排列的次序是按照笔画的多寡。

四三　[一、壹]　㊀一概,全都(曹参为相,凡事一遵萧何约束)。㊁竟(不意其懦怯一至于此)。㊂真是,实在:**一似**(子之哭也,壹似重有忧者);**一何**(上有弦歌声,音响一何悲)。

**四四** [乃、迺] ㊀你的（竖儒！几败乃公事）。
㊁是（此书乃后人伪作）；实在是（我非知君者，知君者
乃苏君也）；原来是，表示出于意料之外（至拜大将，乃
韩信也）；是，解释原因（乃官吏畏事，故为此说，非真
有其事也）。㊂就，于是（中原大乱，乃南渡江）。㊃方
才，然后（有此父乃有此子）。㊄竟，表示出于意外（名
父乃有此不肖之子）。㊅乃至：以至，一直到了（琴棋书
画，骑射拳棒，乃至医卜星相，无所不学）。

**四五** [也] 这是文言里用得最多的一个语气助词，
跟现代的"也"（你十五岁，我也十五岁）没有关系，跟
早期近代语的"也"（我去也）也没有关系，大体上近于
现代的"啊"。㊀用于判断句句尾（项籍者，下相人也；
孺子可教也）。㊁表示解释的语气：说明是怎么回事（山
肴野簌，杂然而前陈者，太守宴也）；说明原因或理
由（剖竹以代瓦，以其价廉而工省也）；说明结果（饮少
辄醉，而年又最高，故自号曰醉翁也）。㊂加强肯定或否
定的语气（环滁皆山也；未之闻也）。㊃表示疑问（何
也？）。㊄表示感叹（以一钱之微而死三人，吁，可悲
也！）。㊅表示禁止语气（君如知此，则无异于民之多怨望
也）。㊆用在句中，表示停顿（向也不怒而今也怒，何也？
大道之行也，天下为公；祈祷也，祭告也，忏悔也，立种
种事神之仪式）。

**四六** ［已］ ㊀太，过（其细已甚，民弗堪也）。㊁已经（老父已去，高祖适从旁舍来）。㊂后来，常与"而"连用（废以为侯，已又杀之；已忽不见；已而释之）。㊃语气助词，大略同"矣"（吾知其无能为已）。

**四七** ［凡］ ㊀一切，所有（凡今之人，莫如兄弟）。㊁总共，都（在途凡三十五日）。

**四八** ［亡（wú）］ ㊀同"无"。㊁同"否"。㊂亡其：抑，还是（秦之攻赵也，倦而归乎？亡其力尚能攻，爱王而不攻乎？）。

**四九** ［之］ ㊀这个（之子于归，远送于野）。㊁作宾语用的代词，指人（＝他），指物（＝它），也指事（吾爱之重之，愿汝曹效之；姑妄言之妄听之；无之；总之；均之）。㊂的（是谁之过欤？虎狼之国；丧家之犬）。㊃加在句子的中间，取消句子的独立性（余之识君，且二十年）。㊄用在倒置的宾语和动词的中间（父母唯其疾之忧）。

**五〇** ［勿］ 比较无㊁㊂。㊀等于"无之"（无友不如己者，过则勿惮改；救赵孰与勿救？）。㊁后起的用法，等于"无"（闻毁勿戚戚，闻誉勿欣欣）。

**五一** ［夫］ ㊀这个，那个（夫人不言，言必有中；君独不见夫朝趋市者乎？）。㊁语首助词，用在议论开端的时候（夫人必自侮，然后人侮之）。㊂语末助词，表感叹（悲夫！逝者如斯夫！）。

**五二** **[方]** ⊖正在（国家方危）。⊜刚才（方出城门，即逢骤雨）。⊜方才（用久方知）。

**五三** **[及]** ⊖和（阴以兵法部勒宾客及子弟）。⊜到了（吾所以有大患者，为吾有身；及吾无身，吾有何患？）。⊜乘（彼众我寡，及其未济击之）。四来得及（时促，未及遍观）。

**五四** **[比（bǐ）]** ⊖到了（有托其妻子于其友而之楚游者，比其反也，则冻馁其妻子）。⊜频，连（比年伤水灾，间者数年比不登）。⊜近（比来不审尊体动止何似？）。四比比：每每（郡国比比地动；比比然也）。

**五五** **[少]** ⊖些，点儿（楼下有少酒，与卿为别）。⊜稍微（可以少安）。

**五六** **[止]** 只（止可远观，不足近玩）。

**五七** **[曰]** 是，列举时用（曰水，曰火……；一曰水，二曰火……）。

**五八** **[云]** ⊖语末助词，多数有"据说如此"意（闻其言不见其人云）。⊜云云：如此如此（何子之言云云也？）。⊜云何：如何，为何（不有舟车，云何得达？）。四云尔：如此（则可谓云尔已矣；安乐令栾弘……赋诗见赠，答之云尔）；而已（公明仪曰："宜若无罪焉。"曰："薄乎云尔，恶得无罪？"）；焉，只用在一篇之末（惧或乖谬，有亏大雅君子之德，所以战战兢兢，若履深薄云尔）。

**五九 ［兮（xī）］** 舒缓语气的助词，多见于韵文，用在句末和句中（归去来兮！田园将芜胡不归？力拔山兮气盖世）。

**六〇 ［乎］** ㈠表疑问，与"吗"相当（许子必种粟而后食乎？可以人而不如鸟乎？）。㈡表疑问，与"呢"相当（且夫发七国之难者谁乎？滕，小国也，间于齐楚：事齐乎？事楚乎？）。㈢表推测，常兼感叹，与"吧"相当（此君小异，得无是乎？泰山其颓乎！梁木其坏乎！哲人其萎乎！）。㈣表感叹，与"啊"相当（惜乎，子不遇时！嗟乎，子卿！）。㈤表呼而告之，与"啊"相当（天乎，吾无罪）。㈥表语中停顿（焕乎其有文章；于是乎有黠者出，乘机施其技）。㈦等于"于"（是所重者在乎珠玉而所轻者在乎人民也）。

**六一 ［以］** ㈠拿，用（哑者以手为口；以理喻之；喻之以理）。㈡把（尔以我为可侮乎？乃以所乘马赠之）。㈢因为（未尝以贫废学；其地多云雾，以四界逼于高山也）。㈣依（众客以次就坐；园有门，以时启闭）。㈤在，关于时日（余以八月十九日返，而君以中秋后一日行，终不得一晤）。㈥表示目的（继续努力，以求贯彻）。㈦表示结果（发愤忘食，乐以忘忧）。㈧表示方式与情态，与"地"或"着"相当（呱呱以啼，哑哑以笑；谈笑以死；白衣冠以送之）。㈨连接两个形容词（其责己也重以周，其待人也轻以约）。㈩从……往（六十分以上为及格；五岭以南，古称百粤）。㊀以至：一直到了（自王公卿相以至工艺杂流，凡有名者皆留像于馆）。㊁以故：所以（世皆称孟尝君能得士，士以故归之）。

六二 ［且］㈠将要（积资且千万）。㈡暂且（我醉欲眠卿且去）。㈢尚且，连……都，多用于两件事情比况句（明日且未可知，况明年乎？）。㈣连接两个形容词，又……又……（邦无道，富且贵焉，耻也）；常和"既"连用，见"既"㈡。㈤一边……一边……（且歌且饮，旁若无人）。㈥连接选择问句，抑，还是（敌之不进为畏我耶？且有所待也？）。㈦并且，而且（公语之故，且告之悔；邀之未必来，且来亦何济于事？……且君侯何不思昔者也？有昔者必有今日）。

六三 ［弗 (fú)］㈠等于"不之"（得之则生，弗得则死）。㈡后起的用法，等于"不"（后家居长安，长安诸公莫弗称之）。

六四 ［未］㈠没有，不曾（未之闻也；君言竟未？吾亦欲有所言）。㈡不（人固不易知，知人亦未易也；又见于"未可""未必"）。㈢未几：没有多少时候（初习法语，未几而改习英语）。

**六五 [由]** ⊖从（由此观之，爱之适以害之也）。
⊜归（设理事五人，由会员共推之）。⊜因为（由此杨氏
与郭氏为仇）。

**六六 [用]** ⊖拿，凭（卫青霍去病亦以外戚贵，然
颇用材能自进）。⊜因（用此，其将兵数困辱）。⊜**何用，
焉用**：为什么（何用弗受也；邻之厚，君之薄也，焉用亡
郑以倍邻?）。

**六七 [令]** 倘若（令冬月益展一月，足吾事矣）。

**六八 [可]** ⊖能（无可奈何）。⊜可以（可去矣）。
⊜用于命令句，"可以"之意甚少（吾今日不喜饭，可具
粥）。四该（但可遣人问讯，不足自往）。五大概（年可十
六七）。六**可得**：能（可得闻欤?）。

**六九 [正]** ⊖恰好（正唯弟子不能学也）。⊜只（莫
作孔明择妇，正得阿承丑女）。⊜即，即使（正使死，何
所惧? 况不必死耶?）。

**七〇 [他]** ⊖别的（子不我思，岂无他人? 于是沛
公乃夜引兵从他道还）。⊜别的东西（他无所取），别的事
情（王顾左右而言他），别的缘故（无他，专心而已），别
的用心（闭门谢客，以示无他）。⊜**其他**：同⊖。

**七一 [伊]** ⊖那个（所谓伊人，在水一方），后世
专以"伊人"为怀想中的女子。⊜通俗文言中代词，
他（我就伊无所求，我实亦无可与伊者）。⊜**伊谁**：谁。

**七二** [**此**] 这个，指人（此壮士也），指物（贤者亦乐此乎?），指地（予居于此，多可喜，亦多可悲），指时（盖风习移人，贤者不免，百有余年于此矣），指事（此所谓妇人之仁也）。

**七三** [**如**] ㊀像（文如其人；爱民如子；如此；如故；如下）。㊁像，举例用（常绿树如松、杉，落叶树如槐、柳）。㊂形容词的语尾，同"然"（三月无君，则皇皇如也）。㊃假如（如耻之，莫若不为）。㊄**如此，如是**：这么样（其愚如此；如是其难也）。㊅**如何**：怎么（究应如何办理，仁候明教）。㊆**如之何**：怎么样（竭力以事大国，则不得免焉，如之何则可?）。㊇**如……何**：怎么样（不能正其身，如正人何？＝如何正人?），把……怎么样（君如彼何哉?）。

**七四** [**而**] "而"字是文言用得最多的一个连词，所连接的两个部分可以是两个词，也可以是两个句子；可以是顺在 边，可以是互相背戾，还可以是既不相承，也不相背。㊀顺接，两个形容词（语其浅而近者如此），两个动词（觉而起，起而归），两个句子（价廉而物美）。㊁转接，等于"但是"，两个形容词（东道夷而远，西道险而近），两个动词（知其不可为而为之），两个句子（价廉而物不美）。㊂连接表方式或情态的词语于动词，和"地"或"着"相当（侃侃而谈；默尔而笑；攀援而登；不劳而获）。㈣连接时间副词于动词（已而复如初；既而悔之；俄而客至；久而习与俱化；始而喜，继而疑）。㈤连接用如副词的名词于动词（朝而往，暮而归；一日而行千里；一言而决）。㈥连接各种副词性短语于动词（由小而知大；自古而然；为利而来；人材以培养而出）。㈦从……往（宜昌而东，江行平地；今而后吾不复言矣）。㈧到（自小学而中学而大学；一而十，十而百；小而一家，大而一国，莫不有其特有之问题）。㈨用在主语和谓语的中间，有"可是"的意思（匹夫而为百世师，一言而为天下法）。㈩用在主语和谓语的中间，有"要是"的意思（人而无志，终身无成）。㊀**而已**：罢了（江山之外，第见风帆沙鸟，烟云竹树而已；夫子之道，忠恕而已矣）。㊁形容词语尾（顾而长兮；已而，已而！）。㊂你的（若归，试从容问而父）。

七五 **〔自〕** ㊀自己，副词性，现代说"自己骗自己"，文言只用上头一个"自"字："自欺"（夫人必自侮，然后人侮之）。㊁从（有朋自远方来；自古至今）。㊂连，虽然（自京师不晓，况于远方?）。㊃附在"故"、"正"、"终"、"犹"等副词后，本身无显明意义（此儿故自可人；正自不易言；终自有尽时）。㊄**自非**：除非（自非圣人，外宁必有内忧）。㊅**自余**：除此以外（自余文人莫有逮者）。

**七六 [至]** ㊀极（其理至浅，何以不达？）。㊁到，一直到，指方所，有时加"于"（上至公卿士夫，下至贩夫走卒；东至于海；至于犬马，皆能有养）。㊂到了，指时间（至日中，所期不来；至死不悟）。㊃到了，指程度，有时加"于"（后之亡者多至数十百人；深怀忧惧，至废寝食；至于废寝而忘食）。㊄到了，另提一事，有时加"于"（诸将易得耳，至如信者，国士无双；至于日常事务，一以付之属吏）。

**七七 [因]** ㊀依，顺着（因山构屋；因势利导）。㊁由……居间（魏使人因平原君请从于赵）。㊂因为（因前使绝国功，封骞博望侯）。㊃因此，于是，就，有时加"而"字（及至颓当城，生子，因名曰颓当；避仇至沛，因家焉；草木为之含悲，风云因而变色）。

**七八 [有]** ㊀（yòu）又（是后六十有五年，而山戎越燕而伐齐）。㊁有以：有所以……之物，之道（杀人以梃与刃，有以异乎？王语暴以好乐，暴未有以对也；惟足下有以督教之）。

**七九 [亦]** ㊀同现代"也"。㊁也就是，只是（王亦不好士耳！何患无士？子击因问曰：富贵者骄人乎？且贫贱者骄人乎？子方曰："亦贫贱者骄人耳。"）。

**八〇 [耳]** ㊀而已，罢了（前言戏之耳）。㊁呢（诸将易得耳，至如信者，国士无双；若虽长大，好带刀剑，中情怯耳）。

八一 ［行］ ㊀将（日月易得，别来行复四年）。
㊁且（既痛逝者，行自念也）。

八二 ［安］ ㊀哪儿，何处（王室多故，予安逃死
乎？汝安从知之？）。㊁哪儿，如何，多数用在"得"、
"能"、"可"、"敢"等字的前头（君安得高枕而卧乎？吾
亦欲东耳，安能郁郁久居此乎？）。

八三 ［何］ 这是文言里应用最广的疑问代词，兼有
现代"什么"、"为什么"、"怎么"、"哪儿"等用处，结合
语很多。㊀什么（内省不疚，夫何忧何惧？以此攻城，何
城不克？）。㊁为什么（彼丈夫也，我丈夫也，吾何畏彼
哉？）。㊂怎么（子在，回何敢死？）。㊃怎么，感叹（何子
之不达也！）。㊄哪儿（轸不之楚，何归乎？）。㊅**何者，何
则**：为什么，用于自问自答（……何者？功多，秦不能尽
封，因以法诛之……何则？皆不欲齐秦之合也）。㊆**何
如，何若**：怎么样，用作谓语（读书之乐乐何如？吾欲东
家食而西家宿，何如？我视君何若？）。㊇**何如**：用在比较
的两个事物中间（与秦地何如勿与？长安何如日远？）。
㊈**何以**：拿什么，怎么样（虽然，何以报我？不为者与不
能者之形何以异？）。㊉**何以，何为**：为什么（德、日，美
之敌国，何以扶植之若此？战胜未必，何为战？）。㊀㊀**何
自，何由，何从**：从哪儿，怎么样（乱何自起？起不相

爱；何由知吾可也？若不申辨，何从得直？）。㊂**何可，何得，何足，何须，何必，何至，何尝**："何"都作问情理的"哪儿"讲；"何至"，哪儿要弄到；"何尝"，哪儿（何尝有此言？＝哪儿有过这个话？）。㊃**何……之有**：有什么……的（何难之有？何不利之有？）。㊄**何有**：甲，哪儿有……的道理（将军何有当尔？何有乱头养望，自谓宏达耶？）；乙，何难之有（能以礼让为国乎，何有？）；丙，何爱之有（除君之恶，唯力是视，蒲人狄人，余何有焉？）。

**八四　[矣]**"矣"字是次于"也"字而应用最广的语气助词。这两个字的分别，简单地说，"也"字是静性的，表示本然之事；"矣"字是动性的，表示已然或将然之事，即经过一番变动而成之事。大多数"矣"字和现代的"了"字的语气相当。㊀表已然之事，有"已经"的意思（晋侯在外，十九年矣；险阻艰难，备尝之矣；民之情伪，尽知之矣）；有"现在"的意思（孺子可教矣）。㊁表将然之事，或是说话的人自己宣告的（夜半，客曰：吾去矣），或是根据目前事态估计的（天下从此多事矣），或是假设的结果，多与"则"字呼应（民为邦本，民困则国危矣）。㊂表感叹，在句末者（交友之道难矣！），在句中者（甚矣，人之不可以无耻也！）。㊃用于命令句（先生且休矣，吾将念之）。

**八五　[每]**㊀个个（每人而悦之，日亦不足矣）。

㊂每逢（每一念至，何时可忘?）。㊃**每每**：往往，常常（值欢无复娱，每每多忧虑）。

八六　[更]　㊀再，又，否定句多于肯定句（即日行事，不更计议；孟尝君有一狐白裘，入秦献之昭王，更无他裘；欲穷千里目，更上一层楼）。㊁更加（洗脂除粉，转更妩媚）。㊂递互（九卿更进用事）。

八七　[抑]　㊀还是，用于选择问句（敢问天道乎，抑人故也?）。㊁可是（若圣与仁，则吾岂敢，抑为之不厌，诲人不倦，则可谓云尔已矣）。

八八　[但]　㊀只（不闻耶娘唤女声，但闻黄河流水鸣溅溅）。㊁只是，但是（无他，但手熟尔）。

八九　[足]　常与"以"字连用。㊀够（是四国者，专足畏也；适足以结怨深仇，不足以偿天下之费）。㊁**不足**：不值得（公幸有亲，吾不足以累公；竖子不足与谋!）；不必（不足为外人道也）。

九〇　[见]　㊀被（苏武使匈奴，见留二十年）。㊁有代"我"字的作用（家叔以余贫苦，遂见用于小邑 = 用我）；间或也代第三身（恐帝长大后见怨）。

九一　[否]　㊀称代性的否定词（晋人侵郑以观其可攻与否 = 不可攻；二三子用我，今日；否，亦今日 = 不用我）。㊁用于反复问句后，古多作"不"（尊君在不? 春初得书，寻即裁谢，不审得达否? 如此则动心否乎?）。㊂否定的应答词，与"然"相对（"许子必织布而后衣乎?"曰："否。"）。

**九二　[其]** ㊀那个（其地无井泉，恃雨水为饮）。㊁他的，用在名词前（工欲善其事，必先利其器）。㊂意义同上，但用在动词或形容词前，在现代语里说"他"比"他的"更合适（见其生，不忍见其死；鸟，吾知其能飞）。㊃其中之（其一能鸣，其一不能鸣；孔融幼时，与诸兄食梨，取其小者）。㊄殆，大概，恐怕，表测度或拟议（知进退存亡而不失其正者，其唯圣人乎?）。㊅可，表命令或劝勉（子其有以语我来! 尔其无忘乃父之志）。㊆还是，用于选择问句（诚爱赵乎? 其实憎齐乎?）。

**九三　[彼]** ㊀那（我欲易之，彼四人辅之，羽翼已成，难动矣）。㊁那个（由是观之，在彼不在此；彼亦一是非，此亦一是非）。㊂那个人，他（彼必自负其材，故受辱而不羞）。

**九四　[所]** 这是文言里特有的一个指示词，加在动词之上而指受动之物。㊀有受动的名词（牛所耕之田，牛所耕田＝牛耕的田；所读之书，所读书＝读的书）。㊁无受动的名词，"所"字兼有代词性质（目之所见，耳之所闻；目所见，耳所闻＝眼睛看到的，耳朵听到的；所见所闻＝看见的，听见的）。㊂为……所：合起来跟"被"字相当（月氏为匈奴所败，乃远去）；但"火药为中国所发明"＝是中国发明的。㈣**何所**：所……者为何，译成现代语可以不理会这个"所"字（问女何所思？＝姑娘，你想什么？何所见而云然？＝你根据什么说这个话？）。㈤**无所**（女亦无所思＝不想什么；终其身无所成＝没有成就个什么；不廉则无所不取，不耻则无所不为＝什么都要，什么都做得出）。㈥**有所**（有所恃而无恐＝有个什么可倚赖；人必有所不为，而后能有所为＝必得有不肯做的事，才能做出点儿事）。㈦**所以**：跟现代语里的用法不同，应特别注意。甲，"所以……"等于"……的缘故"（人类之所以为万物之灵者，尚智而不尚力也；人类尚智而不尚力，此其所以为万物之灵也）；乙，"所以……"等于"拿来……的东西"（所以自奉者甚薄；所以维系之者惟一时之利害耳）。

**九五** ［於、于］ ㈠在，表动作的静境（遇之于塗；君生于光绪壬寅年；此非可于道路言也；余于次年入中学）。注意文言的"於……"多数放在主要动词之后。㈡表动作的趋向，到（世世秘其术，不传于外；百有余年于兹矣）；给（寓书于其友，假而观之）；现代无相当的介词（是不亦近于以五十步笑百步乎？难民之结群过江者几于无日无之）。㈢从（家贫无书，每假借于藏书之家；而卒赖老仆脱之于难）。㈣由于（生于忧患，死于安乐）。㈤被（善战者致人，不致于人）。㈥对于（有损于人而无益于己；口之于味也，有同嗜焉）。㈦比（苛政猛于虎）。
㈧在……方面（其民勇于私斗而怯于公战）。㈨**于是**：这
就（于是饮酒乐甚）；这才（然后知吾向之未始游，游于
是乎始）。

**九六　[初]** ㈠头一回（初至一地，必问民俗）。㈡当
初（初，吏捕条侯，条侯欲自杀，夫人止之）。㈢才（天
下初定未久）。㈣本来，从来，专用在否定句（初不中
风，但失爱于叔父，故见罔耳；恨见君晚，群臣初无是
言也）。

**九七　[非]** 不是（子非鱼，安知鱼之乐？）。

**九八　[宜]** ㈠应该：表合宜（是宜为君，有恤民之
心；止可少尝，不宜多食）。㈡表测度和拟议（帝问："天
下谁爱我？"曰："宜莫如太子。"）。㈢似乎（宜若无
罪焉）。

**九九　[定]** ㈠确实（闻陈王定死，因立楚怀王孙心
为楚土）。㈡到底，毕竟（卿云"艾艾"，定是几"艾"？）。

**一〇〇　[固]** ㈠坚，硬（朱公欲遣少子，长男固请
欲行）。㈡本来（臣固知王之不忍也）。㈢本来如此，是
啊，应对之词（固也，吾欲言之久矣）。

**一〇一　[果]** ㈠果然（趋而视之，果其子也）。㈡究
竟，用于疑问句（客果何为者？）。㈢如果（果能此道矣，
虽愚必明，虽柔必强）。

一〇二 [尚] ㊀还（赵王使使者视廉颇尚可用否；如仆，尚何言哉！尚何言哉！禽兽尚知合群，而况人乎？）。㊁命令语气助词（呜呼，尚飨！）。

一〇三 [况] 何况，常与"而"连用，上句又往往有"尚"、"且"、"犹"等字相呼应（此不足以欺童子，况我辈乎？天地尚不能久，而况于人乎？死且不惧，况未必死乎？困兽犹斗，况一国之民乎？）；注意文言只用在问句，不用在现代用"况且"（＝而且）的地方，文言在这种地方一般用"且"字。

一〇四 [使] 假使（使天下无农夫，举世皆饿死矣）。

一〇五 [或] ㊀有，多与"未"字同用（有一于此，未或不亡；自古以来，未之或失也）。㊁有人（或谓孔子曰：子奚不为政？）。㊂有的（凡六出奇计，或颇秘，世莫能闻也）。㊃或者，也许（或数年不至，或一年数来）。

一〇六 [並（竝，并）] ㊀一同（诸侯並起）。㊁都（卜之，并吉）。㊂连同（並前在京所得，共三千余册）。㊃连……也（厌疾奢侈者，至于并一切之物质文明而屏弃之）。

一〇七 [奈] ㊀奈何：甲，怎么（男儿死耳，奈何效新亭对泣耶？）；乙，怎么办（食尽援绝，奈何？祸成矣，无可奈何矣）。㊁**奈……何**：甲，把……怎么样，怎么对付他（此皆上圣，无奈下愚子何）；乙，叫……怎么样，怎么安顿他（吾君老矣，国家多难，伯氏不出，奈吾君何？虞兮，虞兮，奈若何？）；丙，怎么办（其言信美，奈国人不信何？＝国人不信，奈何？）。

一〇八 [者] ㊀的（黄冈之地多竹，大者如椽；爱人者人恒爱之，敬人者人恒敬之；君子务知大者远者，小人务知小者近者；得骏马日行千里者二）。㊁样，件（鱼与熊掌，二者不可得兼；此数者，用兵之患也）。㊂**谁……者**（君即百岁后，谁可代君者？＝可代君者谁？）。㊃……似的（叩之不应，若未闻也者；吾视郭解状貌不及中人，言语不足采者）。㊄用于语词后，表停顿（古者，言之不出，耻躬之不逮也）；待解释（风者，空气流动而成）。㊅用于小句后，表停顿（客如复来见者，吾必唾其面）；待解释（不即言者，有所待也）。

一〇九 [则] 这是文言里用得很多的连词，和"而"字比较起来，"而"字是圆的，软的，"则"字是方的，硬的。㊀表两事在时间上的联系，跟"就"字相当（诸儿见家人泣，则随之泣，叩其门，则其妻应声出）。㊁表因果或情理上的联系，跟"（若是……）就"相当（凡物热则涨，冷则缩）。㊂原来是，原来已经（就而视之，则赫然死人也；及诸河，则在舟中矣）。㊃表两事对待，但不一定两句都用，跟重重地说的"是"字相当（衣则不足以蔽体，食则不足以充腹；人皆好逸而恶劳，我则异于是；量则多矣，质皆不佳）。⑮用于"此"、"是"等字之后，跟"就是"相当（此则言者之过也；是则贪多务得而不求其精之故也）。

一一〇 [是] ㊀这个（诚哉，是言也！币厚而言甘，是诱我也＝这个（是）……）。㊁用在倒置的宾语和动词的中间，常和"惟"字同用（惟余马首是瞻；唯利是视）。㊂是以：因此，所以（见其生不忍见其死，闻其声不忍食其肉，是以君子远庖厨也）。㊃是故：为了这个缘故，所以（其言不让，是故哂之）。

一一一 [哉] ㊀表感叹，或在句中（异哉，此人之教子也！），或在句末（小不忍而乱大谋，惜哉！）。㊁表反诘，常与"岂"字同用（岂可人而不如鸟哉？秦以不闻其过亡天下，又何足法哉？）。㊂表疑问，仍带感叹（君如彼何哉？强为善而已矣）。

一一二 [耶、邪] 用法大致同"乎"字前三项。㊀表疑问，与"吗"相当（将军怯耶？）。㊁表疑问，与"呢"相当（子何为者耶？傥所谓天道，是耶？非耶？）。㊂表推测，与"吧"相当（先生所处之境其有与余同者耶？）。

一一三 [故] ㊀因为……的缘故（乱故，是以缓；财物丧失，贪无厌故），后一种句法多见于佛教经典。

㊂所以（死亦我所恶，所恶有甚于死者，故患有所不避也）。㊃从前（燕太子丹故尝质于赵）。㊅故意，特地（我今故与林公来相看）。㊄与"自"、"复"、"当"、"应"等副词连用，本身没有多少意义（其人诚无行，其诗故自佳；卿故复忆竹马之好否？故当是妙处不传；使真长来，故应有以制彼）。

**一一四　[若]**　㊀你（若归，试从容问而父，然毋言吾告若也）。㊁这个，那个（君子哉若人！）。㊂这么样，那么样（以若所为，求若所欲，犹缘木而求鱼也）。㊃像（山有小口，仿佛若有光；其人视端容寂，若听茶声然）。㊄形容词语尾，同"然"（桑之未落，其叶沃若）。㊅若是，假如（王若隐其无罪而就死地，则牛羊何择焉？）。㊆至于，常与"夫"字连用（若仆，则形格势禁，言之无益也；若夫为不善，非才之罪也）。㊇或是（以万人若一郡降者，封万户）。㊈**不若**：不如（与其哀不足而礼有余也，不若礼不足而哀有余也）。㊉**若此，若是**：同"如此，如是"。㊀**若何**：怎么（此非国家之利也，若何从之？）。㊁**若之何**：怎么样（寇深矣，若之何？）。㊂**若……何**：把……怎么样（无若群臣何）。

**一一五　[苟（gǒu）]**　㊀苟且，马马虎虎（临财毋苟得，临难毋苟免）。㊁姑且，不过（小国之事大国也，苟免于讨，不敢求贶）。㊂假如（苟得其养，无物不长）。

**一一六　[即（jí）]**　㊀就是，用在主语和表语中间（梁父即楚将项燕）。㊁就，表时间连接（岁余，高后崩，即罢兵）。㊂就，表上下两事相因，与"则"㊀同（先即制人，后则为人所制）。㊃就在，下接处所词语（天子使者持大将军印即军中拜车骑将军青为大将军）。㊄就在，下接时间词语（项羽即日因留沛公与饮＝当日；夷贼素闻其名，即时降服＝当时）。㊅假使（所贵于天下之士者，为人排难释患，解纷乱而无所取也；即有所取者，是商贾之人也）。㊆即使，就是（仆即无状，何至认贼作父?）。

**一一七　[信]**　㊀真的，果然（卜人皆曰吉，发书视之，信吉）。㊁果真，表假设（信能行此五者，则邻国之民仰之若父母矣）。

**一一八　[殆（dài）]**　大概，只怕（张仪天下贤士，吾殆不如也）。

**一一九　[相]**　㊀互相（诸侯相送不出境）。㊁有替代"你"、"我"、"他"的作用（当以一枚相赠＝送你；何不早相语？＝告我；生子无以相活，率皆不举＝养活他）。㊂**相与**：一块儿，共同（遂至承天寺寻张怀民，怀民亦未寝，相与步于中庭）。

**一二〇　[某]**　㊀代不知道的人名，或是失传（于是使勇士某者往杀之），或是泛概的替代（其式：某率子某顿首）。㈡代真实人名，为了避讳，或记载者图省事（师冕见……皆坐，子告之曰：某在斯，某在斯）。因为师冕是个瞎子，所以孔子历举在坐的人，但记下来只作"某"。㈢古时有自己称名的习惯，记下来也常作"某"，因此"某"又等于"我"（诸君赖遭某，故得有今日耳）。㈣用在表时间、地方或其他名词前（某时使公主某事，不能办，以此不任用公；具为区处，某所大木可以为棺，某亭猪子可以祭）。㈤某甲，某乙：代人名，同上㈠㈡。

一二一 [致] 同"至"㈣（浑沦而吞之，致酿成消化不良之疾）。

一二二 [祇、秖、衹（zhǐ）] ㈠适足以，徒然（虽杀之，无益，祇益祸耳）。㈡后世常用来代"止"，作"只"讲（所部祇二百人）。

一二三 [爰（yuán）] 乃，于是（爰伸笔濡墨而记之）。

一二四 [垂] 快要（吾年垂七十；垂暮抵家）。

一二五 [皆] 都（故言富者皆称陶朱公）。

一二六 [甚] ㈠很（惧者甚众矣）。㈡厉害（太后曰："丈夫亦爱怜其少子乎？"对曰："甚于妇人。"太后笑曰："妇人异甚。"对曰："老臣窃以为媪之爱燕后，贤于长安君。"曰："君过矣，不若长安君之甚。"）。㈢甚至：甚而至于，表程度之极甚（甚至夜不安眠）。

一二七 [矧 (shěn)] 而况（求其生而不得，则死者与我皆无恨也，矧求而有得耶？）。

一二八 [胡] ㊀怎么（人尽夫也，父一而已，胡可比也？）。㊁为什么，多用于否定句（胡不下？吾乃与而君言，汝何为者也？）。㊂胡为：为什么（此秋声也，胡为乎来哉？）。

一二九 [曷 (hé)] ㊀几时（时日曷丧，予及汝偕亡！中心好之，曷饮食之？）。㊁怎么（侠客之义又曷可少哉？）。㊂曷为：为什么（曷为久居此围城之中而不去？）。㊃岂（曷若是而可以持国乎？）。

一三〇 [奚 (xī)] ㊀什么（卫君待子而为政，子将奚先？）。㊁为什么（或谓孔子曰：子奚不为政？）。㊂奚以：何以（奚以知其然也？）。㊃奚自：从哪儿（水奚自至？）。

一三一 [盍 (hé)] "盍"古音收 p，是"何"字受了"不"字的影响，音变而成，所以只见于"不"字的前面，或是本身就等于"何不"。㊀见于"不"字前（盍不起为寡人寿乎？）。㊁等于"何不"（盍各言尔志？）。

一三二 [乌] 哪儿，岂（齐楚之事又乌足道哉？）。

一三三 [岂] ㊀难道，表反诘（岂有此理！虽曰天命，岂非人事哉？）。㊁难道，表测度性的疑问（家岂有冤，欲言事乎？）。

一三四　[匪]　㊀不是，同"非"（匪来贸丝，来即我谋）。㊁不（夙夜匪懈）。

一三五　[俾（bǐ）]　使，表目的或结果（敢终布之执事，俾执事实图利之）。

一三六　[倘、傥]　㊀或者，也许（慎无多言，傥幸得脱）。㊁倘若（傥急难有用，愿效微躯）。

一三七　[徒]　㊀只是（天下汹汹数岁者，徒以吾两人耳）。㊁徒然（于事无补，徒自苦耳）。

一三八　[特]　㊀只是（臣之所见，特其小小者耳）。㊁只是，不过，有连接作用（此其属意非止此也，特畏高帝吕太后威耳）。

一三九　[益]　更加，愈（毛血日益衰，志气日益微）。

一四〇　[差（chā）]　稍微，比较（山后有小径，往来差近）。

一四一　[殊]　㊀极（恐惧殊甚）。㊁殊不：一点儿不（孔明拜于床下，公殊不令止）；殊无：一点儿没有（奋战益力，殊无降意）。

一四二　[容]　㊀或许（诸王子在京，容有非常，宜亟发遣，各还本国）。㊁可，该，只用在问句和否定句（父殁何容辄呼？事实昭彰，不容曲解）。

一四三　[率（shuài）]　大率，以此为常例（一岁中往来过他客，率不过再三过）。

**一四四　[旋]** 不久，只能紧接动词，不能用在主语之前（病旋已）。

**一四五　[脱]** ㈠或许（事既未发，脱可免祸）。㈡倘若（脱有缓急，奈何?）。

**一四六　[庸]** ㈠哪儿，岂（患难相从，庸可弃乎?）。㈡庸讵：哪儿（多用在"知"字前）（庸讵知吾所谓知之非不知邪? 庸讵知吾所谓不知之非知邪?）。㈢无庸：不必，不用（窃为君计，莫若与民休息，无庸有事于民也）。

**一四七　[庶 (shù)]** ㈠幸而，或许，有连接作用，以下句表上句之目的（君姑修政而亲兄弟之国，庶免于难；后之人与我同志，嗣而葺之，庶斯楼之不朽也）。

**一四八　[将]** ㈠表未来之副词，或含意志作用，打算（君将何以教我?）；或不含意志作用，要，会（发愤忘食，乐以忘忧，不知老之将至；若不然，后将悔之无及）。㈡带领（自以为久宦不达，遂将家属客河东），早期近代语里"将"作"拿，把"讲，就是从这个意义变来的。㈢表选择问，还是（知其巧奸而用之邪? 将以为贤也?）。

**一四九　[惟]** ㈠只（不惟许国之为，亦聊以固吾圉也）。㈡只是，但是，不过（霜又与雪之形状颇相类似，惟霜乃近地面空气中水汽之凝结而非由高空下降者）。㈢语首助词，常用在年月之前（惟二月既望，越六日己未，王朝步自周，则至于丰）。

一五〇　[唯]　㊀同"惟"㊀（方今唯秦雄天下）。㊁表希望（寡君将率诸侯以见于城下，唯君图之）。㊂同"虽"（相如使时，蜀长老多言通西南夷不为用，唯大臣亦以为然）。㊃应诺之词（秦王曰："先生何以幸教寡人？"范睢曰："唯，唯。若是者三。"）。

一五一　[许]　㊀附数词之后表约数，"来"（可容三千许人；留饮十许日）。㊁**少许**：一点儿，**多许**：许多；**几许**：多少。㊂**尔许，如许**：如此（"许多"就是"尔许多"之省）。㊃**何许**：何处（不知何许人）。

一五二　[设]　假使（设中途有变，何以善其后？）。

一五三　[假]　假使，多与"令"合用（假令仆伏法受诛，若九牛亡一毛，与蝼蚁何以异？）。

一五四　[既 (jì)]　㊀已经（单于既立，终归汉使之不降者）。㊁又……（又……）（既能诗，又善画；既醉且饱）。㊂既然，为下文转折张本（吾辈既以壮士自许，当仗剑而起）。㊃**既而**：后来又（誓之曰："不及黄泉，无相见也！"既而悔之）。

一五五　[从]　㊀同现代"从"（有一人从桥下走出；公等皆去，吾亦从此逝矣）。㊁向（从昆弟借贷，犹足为生，何至自苦如此；从所识索一饭之资）。㊂听凭（鸳鸯绣取从君看，不把金针度与人）。

**一五六** ［得］ ㊀能（卒得不死）。㊁可以，准许（五十分以上者得补考）。㊂**得无**：只怕，表测度（日食饮得无衰乎？得无难乎？）。

**一五七** ［莫］ ㊀没有……的（女五嫁而夫辄死，人莫敢娶；乐莫乐兮新相知，悲莫悲兮生别离）。㊁没有人，没有东西（狂者伤人，莫之怨也；莫非命也，顺受其正）。㊂**莫……者**：同㊀（及平长，可娶妻，富人莫有与者）；同㊁（诸侯贵人争欲揖章，莫与京兆尹言者）。㊃**莫若**：不如（为君计，莫若早为之所）。㊄勿（劝君莫惜金缕衣，劝君惜取少年时）。

**一五八** ［焉］ ㊀等于"于之"、"于是"（晋国，天下莫强焉；爱其幽胜，有终焉之志）。㊁等于"之"（众好之，必察焉；众恶之，必察焉）。㊂哪儿，等于"于何"（人焉廋哉？）。㊃哪儿，问情理，多用在"得"字前（又焉得不凉凉也哉？）。㊄语助词，大体跟现代"呢"字相近（宅边有五柳树，因以为号焉；吾于足下有厚望焉）。㊅语助词，用在句中停顿处（少焉，月出于东山之上）。

**一五九** ［孰］ ㊀哪一个（弟子孰为好学？战与和孰利？）。㊁谁（百姓足，君孰与不足？百姓不足，君孰与足？）。㊂什么（是可忍也，孰不可忍也？）。㊃**孰与，孰若**：用在比较句，或有用为比较标准的形容词（战孰与和利?），或无形容词，乃比较两事之得失，常与"与其"呼应（求人孰若求己？与其求人，孰若求己？）。

一六〇 [第] ㊀只要，用于祈使句（君第重射，臣能令君胜）。㊁假使（公等遇雨，皆已失期，失期当斩：藉第令毋斩，而戍死者固十六七）。

一六一 [几] ㊀兼有现代"几"和"多少"的用法，不限于可计数的事物（若作三千人食者，已有几米？），也不限于较小的数（将军度羌虏何如？当用几人？），后面可以不跟名词（畏首畏尾，身其余几？）。㊁（jī）几乎，差点儿（竖儒！几败乃公事）。㊂几曾：何尝（几曾识干戈？）。

一六二 [恶（wū）] ㊀哪儿（君子去仁，恶乎成名？为民父母行政，不免于率兽而食人，恶在其为民父母也？）。㊁哪儿，跟"能"、"足"等字连用（先生饮一斗而醉，将恶能饮一石哉？虽有江河，恶足以为固？）。㊂感叹词，表惊讶（恶！是何言也？）。

一六三 [讵、渠、巨] 岂，哪儿（讵可便以富贵骄人？沛公不先破关中，公巨能入乎？），常与"庸"连用，见"庸"㊁。

一六四 [然] ㊀如此（知其当然而不知其所以然；有毅力者则不然）。㊁是，对，用作应答之词（此言有之乎？——然，有之），用作谓语（雍之言然）。㊂形容词和副词语尾（欣欣然有喜色；油然作云，沛然下雨）。
㈣……似的（人之视己，若见其肺肝然）。㈤等于"然
而"（书益多，世莫不有，然学者益以苟简）。㈥然而：转
折连词（饮食所以养身，然而饮食无节亦足以伤身）。
㈦然则："既然如此，那末"（为善则中心安乐，为恶则无
时不在畏惧悔艾之中，然则吾人又何苦不为善而为恶?）。

　　一六五　[为]　——㈠㈡㈢㈣(wéi)，其余(wèi)。
㈠是（尔为尔，我为我）。㈡做（山树为盖，岩石为屏）；
变做（高岸为谷，深谷为陵）。㈢被（不为酒困）。㈣给，
替（为天下兴利除害；善为我辞焉）。㈤因为（天不为人之
恶寒也辍冬；樗栎虽大，匠者不顾，为其无用也）。㈥为
了（吾人当为工作而生活，不当为生活而工作）。㈦对，
向，和（不足为外人道也；道不同不相为谋）。㈧为之：
因此（昂首视之，项为之强）。㈨所为：为㈤（此有识之
士所为长叹息者也）；为㈥（无所为而为者，不考虑个人
利害之谓也）。㈩何以……为：做什么（匈奴未灭，何以
家为? ＝要家做什么?）。

　　一六六　[无]　（也作毋，尤其是㈠㈢㈨）㈠没有。
㈡别，表禁止（无道人之短，无说己之长）。㈢等于"不"，
用在表示使令，得能，愿欲，即令，庶冀，比较等意思的句
子（我不欲人之加诸我也，吾亦欲无加诸人；可以取，可
以无取，取伤廉；夜行者能无为奸，不能禁狗使无吠己

也；彼不能自使其无死，安能使王长生哉？今币重而言甘，诱我也，不如无往）。㈣**无以**：无所以……之物，之道（某生无以答；初学于其乡之画工，终其技，师无以为教）。㈤**无何**：无几何时（无何，至醉者之家）。㈥**无奈（……何）**：同现代"无奈"（闻匈奴中乐，无奈候望急何）。㈦**无乃**：只怕（许之而不予，无乃不可乎？）。㈧**无亦**：只怕（汝无亦谓我老耄而舍我？）。㈨**无宁**：宁可（不自由，无宁死）。㈩**无为，无事**：不必，不值得（子当立志复仇，无为俱死也；某于义不得不死，诸君无事空与此祸）。

一六七　[斯]　㈠这个（斯人也而有斯疾也）。㈡这儿（有美玉于斯）。㈢则，就（我欲仁，斯仁至矣）。

一六八　[犹]　㈠像，跟……一样（吾今日见老子，其犹龙邪！）。㈡尚，还（其民犹有先王之遗风；蔓草犹不可除，况君之宠弟乎？）。

一六九　[复]　㈠又，再，重新（遂入关，收散兵复东；虽舜禹复生，弗能改已）。㈡**亦复**：也还（亦复不恶）。

一七〇　[曾（céng）]　㈠曾经（虏曾一人，尚率车骑击之）。㈡简直，竟，用于否定句（谁谓河广？曾不容刀；此两人言事，曾不能出口），或问句（尔何曾比予于管仲？＝为什么竟把我跟管仲相比？）。

**一七一** [厥 (jué) ] ㊀其,那个（有其善,丧厥善;矜其能,丧厥功）;其,他的（盘庚既迁,奠厥攸居,乃正厥位）。㊁乃（左邱失明,厥有国语）。㊂**厥后**:其后（自时厥后＝从此以后）。

**一七二** [寖、浸 (jìn) ] 渐渐（盗贼寖多;灾异浸甚）。

**一七三** [滋] 愈加,越发（若是,则弟子之惑滋甚）。

**一七四** [微] ㊀倘若没有（微管仲,吾其被发左衽矣）;即使没有（微子之言,吾亦疑之）。㊁非,不是（微我无酒,以遨以游;微君之故,胡为乎中露?）。㊂稍微,隐约（微露其意;微闻其事）。

**一七五** [会] ㊀恰好遇着（抵罪远戍,数年会赦,乃归）。㊁**会当**:总得要（男儿居世,会当得数万兵千匹骑著后耳）。

**一七六** [遂 (suì) ] ㊀一直（及归,遂不见;此人后生无比,遂不为世所称,亦是奇事）。㊁于是,就（缪公用之,遂霸西戎）。

**一七七** [与] ㊀和,跟,连词（鱼与熊掌,二者不可得兼）。㊁和,跟,对,介词（与士卒共甘苦;不如早与之绝）。㊂给（以低利之借款放与农民）。㊃与其（与人刃我,宁自刃）。㊄同"欤"。

**一七八** [宁] ㊀宁可(与其害于民,宁我独死;宁人负我,无我负人)。 ㊁宁可,用于选择句(人之情,宁朝人乎,宁朝于人也?)。 ㊂岂,难道,用于反诘句(居马上得之,宁可以马上治之乎?)。 ㊃可,用于真性问句(质通达长者也,宁有子孙不?)。

**一七九** [尝] 曾经(广尝与望气者王朔燕语,曰:自汉击匈奴,而广未尝不在其中)。

**一八〇** [诚] ㊀真,当真(嗟乎,利诚乱之始也;沛公诚欲倍项羽邪?)。㊁当真,如果(诚如父言,不敢忘德)。

**一八一** [盖] ㊀大概,语气较确实(吾闻之周生曰:舜目盖重瞳子)。㊁承接上文,解释原故,仍多少带点"大概"的意思(孔子罕称"命",盖难言之也)。㊂用在一段话的头上,有很少的一点"大概"的意思(朕闻:盖天下万物之萌生,靡不有死;盖闻王者莫高于周文,霸者莫高于齐桓)。

**一八二** [辄 (zhé) ] 就,多表习惯性的行为(有一人徙之,辄予五十金,以明不欺;沛公不好儒,诸公冠儒冠来者,沛公辄解其冠溲溺其中)。

**一八三** [尔] ㊀你。㊁那个(尔夜风恬月朗)。㊂然,那么样(贵土风俗何以乃尔乎?诸葛亮见顾有本末,终不尔也)。㊃然,形容词、副词语尾(子路率尔而对；夫子莞尔而笑）。⑮而已，罢了（吾军亦有七日之粮尔，尽此不胜，将去而归尔）。⑯近似"呢"字的语气（用臣之谋，则今日取虢而明日取虞尔）。⑰尔许：那么些（此鼠子自知不能保尔许地也）。

一八四　[辈]　㈠用在代词和名词之后，等于"们"（情之所钟正在我辈；奴辈利吾家财）。㈡"此辈"等于"这些人"（右侯舍我去，令我与此辈共事）。㈢用在数字后，本来是集体的意义，"班"、"起"（诸使外国，一辈大者数百，少者百余人……一岁中使，多者十余，少者五六辈），后世把它当"人"、"个"用（群儿结数十辈攻之）。

一八五　[蔑 (miè)]　无（虽甚盛德，其蔑以加于此矣）。

一八六　[审]　㈠真的（高喜曰：吾王审出乎？泄公曰：然）。㈡果真，如果（王审用臣之议，大则可以王，小则可以霸）。

一八七　[适]　㈠恰好（身中大创十余，适有万金良药，故得无死）。㈡刚刚，只，多用于"适足以"、"适所以"（其知适足以知人过，而不知其所以过；所以为子孙者适所以祸之）。㈢刚才（适启其口，匕首已陷其胸）。

一八八　[请]　㈠等于"我请你"（君请择于斯二者）。㈡等于"请你让我"（王好战，请以战喻）。

**一八九 [诸]** ㊀ "之于"合音（我不欲人之加诸我也，吾亦欲无加诸人）。㊁ "之乎"合音（有美玉于斯，韫匮而藏诸？求善价而沽诸？）。㊂ "之"字受后面"乎"字的影响，音变为"诸"（能事诸乎？曰：不能）。

**一九〇 [独]** ㊀ 一个人（吾何为独不然）。㊁ 只（子所言者，其人与骨皆已朽矣，独其言在耳）。㊂ 偏偏（今君独跨敝马而来）。㊃ 难道，用于反诘句，尤其在"不"、"无"等字前（君独不见夫朝趋市者乎？公奈何众辱我，独无闲处乎？将军虽病，独忍弃寡人乎？）。

**一九一 [虽]** ㊀ 虽然（门虽设而常关）。㊁ 即使（虽鞭之长，不及马腹）。㊂ 连（苟非吾之所有，虽一毫而莫取）。㊃ 虽然：虽说如此（人生莫不有死，死亦何足惧？虽然，要不可以轻死）。

**一九二 [纵]** 即使（纵江东父兄怜而王我，我何面目见之？）。

**一九三 [弥（mí）]** ㊀ 连，用于时日（盗贼起，弥年不定）。㊁ 满，遍（茂林修竹，弥望皆是）。㊂ 越发，愈加（自此以后，饥民为乱者弥众）。

**一九四 [欤、与（yú）]** 句末语助词，用法跟"乎"㊀至㊃相同。㊀ 表疑问，与"吗"相当（子非三闾大夫欤？何故而至此？）。㊁ 表疑问，与"呢"相当（吾言之而听者谁欤？）。㊂ 表推测兼感叹，与"吧"相当（孝弟也者，其为仁之本与!）。四表反诘兼感叹（可不慎与!）。

一九五 [藉、借] ㊀假使（藉使子婴有庸主之材……秦之地可全而有）。㊁即使，就算（人而无自治力，则禽兽也，非人也。藉曰人矣，小儿也，非成人也）。

一九六 [靡（mǐ）] ㊀没有，无（靡事不为）。㊁没有人，没有东西，没有……的，用法同"莫"，但几乎限于"靡不"和"靡得"（万物萌生，靡不有死；其详靡得而记焉）。

一九七 [顾] ㊀反而（足反居上，首顾居下）。㊁只是（吾每念痛于骨髓，顾计不知所出耳）。

一九八 [属] ㊀（shǔ），辈（雍齿尚为侯，我属无患矣）。㊁（zhǔ），适，刚巧（下臣不幸，属当戎行）。㊂（zhǔ），适，刚才（天下属安定，何故反乎?）。

课

文

## 一　为　学　彭端淑

天下事有难易乎①？为之②，则③难者④亦⑤易矣⑥；不为，则易者亦难矣。人之⑦为学有难易乎？学之，则难者亦易矣；不学，则易者亦难矣。

蜀之⑧鄙有二僧：其⑨一贫，其一富。贫者语于⑩富者曰："吾欲之南海，何⑪如？"

富者曰："子何⑫恃而⑬往？"

曰："吾一瓶一钵足矣⑭。"

富者曰："吾数年来欲买舟而⑭下，犹⑮未⑯能也⑰。子何恃而往！"

越明年，贫者自⑱南海还，以⑲告富者。富者有惭色。

西蜀之⑰去南海，不知几千里也⑰，僧富者不能至而㉑贫者至焉㉑。人之⑰立志，顾㉒不如蜀鄙之⑱僧哉！

## 作者及篇题

彭端淑，字乐斋，四川丹棱人，清朝雍正年间中进士，后来做过道台。辞官后在成都锦江书院讲学。著作有《白鹤堂集》。本文原来题作"为学一首示子侄"，这里略有删节。为学：做学问，求学。用两个和尚的故事来证明一切事情无所谓难易，在乎人有决心去做，求学也是如此。

## 音义

【蜀 shǔ】四川，尤指西部。　【鄙 bǐ】边僻地方。　【僧 sēng】和尚。　【曰 yuē】说；是一个动词，可是常常跟"言、语、谓"等动词合用，这个时候它的作用有点像现在的引号。【吾 wú】我。　【欲 yù】要。　【之】往……去。　【南海】大概指浙江舟山群岛里的普陀山，是佛教圣地，俗称南海。

【子】您，你。本来是尊敬的称呼，后来变成通称。　【恃 shì】靠，凭。

【数 shù】几。　【买舟】雇船。买是买坐船的权利，不是把一只船买下来。

【越】本来是"过了"的意思，这儿只作"到了"讲。【还】回来。

【至】到。　【立志】立定志向，下决心。

## 古今语

【为】做，今只作～，行～。　【易】容～。

【贫】穷，今只～乏，～民。　【语】说，跟……说，今只⊗～言，言～，口～。

【往】去，今只来～，≠wàng ～东。

【足】够，今只～够，满～。

【下】～去，～来。　【能】今只～够，或～⊙。

【告】～诉。　【惭】～愧。　【色】颜～，今只脸～，灰～等。

【去】离，≠"我～"。　【知】～道。

## 虚字

①六〇㊀　②四九㊁　③一〇九㊀　④一〇八㊀　⑤七九㊀
⑥八四㊀　⑦四九㊃　⑧四九㊂　⑨九二㊃　⑩九五㊀
⑪八三㊆　⑫八三㊀　⑬七四㊅　⑭七四㊀　⑮一六八㊀
⑯六四㊀　⑰四五㊀　⑱七五㊀　⑲六一㊀　⑳七四㊀
㉑一五八㊀　㉒一九七㊀

## 语法

1. "天下事有难易乎？"用现代语说，"难"跟"容易"中间要加什么字？为什么要加字？

2. 比较"为之"和"不为"。为什么不说"不为之"？现代语怎么说？用不用一个跟"之"字相当的字？

3. "则难者亦易矣"，"难的也就容易了"，"则"字跟"就"字的位置不同。

4. "人之为学"、"人之立志"、"西蜀之去南海"翻成现代语，"之"字要翻出来不要？我们现在说"人"还是说"我们"？

5. 文言里单位词用的比现代语少得多，如"二僧"、"一瓶一钵"。

6. 比较"语于富者"跟"跟有钱的说"的词序。（三〇）

7. 比较"何恃"跟"凭什么"的词序。（二五）

8. "以告富者"的"以"字后面省去什么没有？（三三）

9. 注意"僧富者"的词序。"僧"字底下也可以加个"之"字。

10. "也"字通常不等于"呢"，可是"犹未能也"跟"不知几千里也"翻成现代语都是用"呢"字最合适。


**讨论及练习**

1. 本篇先直说事无难易，然后引两个和尚的故事来做例证。可不可以倒过来？两种说法的效果是不是相同？

2. 穷和尚说他只要一瓶一钵就够了，瓶做什么用，钵子做什么用？一个钱不带，他怎么样到得了南海的？和尚在旅行中有什么特殊便利？

3. 有钱的和尚两次说"子何恃而往"，语气一样不一样？

4. 天下的事情，是不是真没有难易的分别？

5. 另外举个例子来说明：同一件事，因为有决心而成功，没有决心而失败。

6. 把底下这些词语译成现代语：（1）吾数年来欲买舟而下；（2）以告富者；（3）富者有惭色；（4）僧富者不能至而贫者至焉。

7. 模仿底下这些句法造句：（1）为之，则难者亦易矣；不为，则易者亦难矣；（2）蜀之鄙有二僧：其一贫，其一富；（3）子何恃而往？（4）西蜀之去南海，不知几千里也；（5）人之立志，顾不如蜀鄙之僧哉！

## 二 躄盗 何景明

躄盗者<sup>①</sup>，一足躄。善穿窬。尝<sup>②</sup>夜从二盗入巨姓家。登楼上，翻瓦，使二盗以<sup>③</sup>绳下之<sup>④</sup>，搜赀入之<sup>⑥</sup>柜，命二盗系上，已<sup>⑤</sup>复<sup>⑥</sup>下其<sup>⑦</sup>柜，入赀上之。约如<sup>⑧</sup>是者<sup>⑨</sup>三。

及<sup>⑩</sup>其<sup>⑦</sup>数，躄盗自<sup>⑪</sup>度曰："柜上，得<sup>⑫</sup>无置我去乎<sup>⑬</sup>?"遂<sup>⑭</sup>自入坐柜中。

二盗系上之，果<sup>⑮</sup>私语曰："赀重矣<sup>⑯</sup>。我二人分之则<sup>⑰</sup>有余，彼出则必多取。是<sup>⑱</sup>厉我也<sup>⑲</sup>。不如置而<sup>⑳</sup>去也<sup>㉑</sup>。"遂持柜行大野中。

一人曰："躄盗称善偷，乃<sup>㉒</sup>为<sup>㉓</sup>我二人卖。"一人曰："此时将<sup>㉔</sup>见主人翁矣<sup>㉕</sup>。"相<sup>㉖</sup>与大笑欢喜。不知躄盗乃<sup>㉒</sup>在柜中。

顷，二盗倦坐道上。躄盗度将<sup>㉘</sup>曙，又闻远舍有人语笑。柜出大声曰："盗劫我!"二盗遑讶遁去。躄盗顾<sup>㉗</sup>乃<sup>㉒</sup>得全赀归。

**作者及篇题**

何景明，字仲默，明朝中叶人。诗文和李梦阳齐名，世称"何、李"。有《大复集》。他的名字虽然也列在以李梦阳为首的复古运动的"前七子"里头，可是并不像李那样故意做作。这一篇是杂记性质，记一个瘸子小偷的故事。

## 音义

【躄 bì】跛子，瘸子。(≠蹩 bié 义同音异。) 【盗】贼，小偷，≠强~。 【足】脚。 【穿窬 yú】挖壁洞翻墙头，做贼。(窬≡逾。) 【巨 jù 姓】~，大户人家。 【赀 zī】钱财。(≠资。)

【度 duó】想，计算。

【厉】害，苦了。

【顷 qǐng】一会儿。 【曙 shǔ】天亮。 【闻】听见。【遑 huáng】害怕。(≡惶。) 【遁 dùn】逃。

## 古今语

【善】~于。 【夜】~里。 【从】跟着，今只随~。【入】㊀进去，进来，今只~口，出~；㊁放进去。 【使】叫，今只~唤。 【下】放下去。 【命】叫，今只~令。 【系 xì】不读 jì。 【上】拉上来。

【数】~目。 【置】放下，撇开，≠安，放。 【中】里头，今只~间，当~。

【私】~下，偷偷儿的。 【余】多，剩，今只~下，有~，其~。 【彼】他。今只 = 那个(只~此 = 互相)。 【出】~

来，～去。　【必】～定。　【持】拿着，今只保～。　【行】走，今只～走，～动。　【野】～地方。

　　【称】号～，出名的……，≠～呼。　【时】～候。

　　【道】～儿，路。　【舍】房子，今只宿～。　【声】～音。
【刧】抢～。（三劫。）　【讶】惊～。　【归】回来，回家。今只～还；～并。


**虚字**

　①一〇八㊄　②一七九　③六一〇　④四九〇　⑤四六〇

　⑥一六九〇　⑦九二〇　⑧七三㊄　⑨一〇八㊄　⑩五三〇

　⑪七五〇　⑫一五六〇　⑬六〇〇　⑭一七六〇　⑮一〇一

　⑯八四〇　⑰一〇九〇　⑱一一〇〇　⑲四五〇　⑳七四〇

　㉑四五〇　㉒四四㊄　㉓一六五〇　㉔一四八〇　㉕八四〇

　㉖一一九〇　㉗一九七〇


**语法**

　　1."入巨姓家"跟"入之柜"的"入"都是及物动词，可是意义不同。（二三）

　　2."上之"的"上"跟"下之"的"下"由形容词变致使动词。（二三）

　　3.命二盗系上［之］；不如置［之］而去。（三八）

　　4.入之"于"柜。（四〇）

　　5.比较"为我二人卖"跟"为我二人所卖"，意思相同，一用"所"，一不用"所"。

## 讨论及练习

1. 本篇的目的就在写一个有趣的故事，不含什么教训，跟前篇不同。可是故事也得有个主题，本篇的主题是什么？

2. 瘸子小偷为什么要疑心那两个小偷会把他撇下来？

3. 那两个小偷除了贪图多得钱，还有什么动机没有？

4. 瘸子小偷为什么不一上来就打柜子里跑出来？

5. 本篇最幽默的是哪一段？

6. "楼上"跟现代语的"楼上"意思一样不一样？

7. "约如是者三"，"三次"只用一个"三"字就够了。现代有没有成语里还保存这种用法？

8. 把本篇翻成自然而生动的现代语。

9. 模仿底下这些词语造句：（1）约如是者三，（2）得无置我去乎？（3）我二人分之则有余，彼出则必多取；（4）乃为我二人〔所〕卖；（5）不知蹩盗乃在柜中。

# 三 喻言 [一] 韩非

## 一

杨朱之①弟杨布衣素衣而②出，天雨，解素衣，衣缁衣而②反。其③狗不知而④吠之。杨布怒，将击之⑤。杨朱曰："子毋⑥击也⑦。子亦⑧犹⑨是⑩。曩者⑪使⑫女狗白而②往，黑而来，子岂⑬能毋⑭怪哉⑮?"

## 二

鲁人身善织屦，妻善织缟，而④欲徙于⑯越。或⑰谓之⑤曰："子必穷矣⑱。"鲁人曰："何⑲也⑳?"曰："屦为㉑履之⑤也㉒，而㉓越人跣行。缟为冠之也，而越人被发。以㉔子之①所㉕长，游于㉖不用之①国，欲使无⑭穷，其㉗可㉘得乎㉙?"

## 三

宋人有酤酒者㉚，升概甚㉛平，遇客甚谨，为酒甚美，县帜甚高，然㉜而不售，酒酸。怪其③故，问其③所㉕知间长者杨倩。倩曰："汝狗猛耶㉝?"曰："狗猛则㉞酒

何③故而㉖不售?"曰:"人畏焉㉗。或⑰令孺子怀钱挈壶罋
而④往酤,而㉘狗迓而④龁之⑤。此酒所㉙以酸而④不售
也㉚。"

## 作者及篇题

韩非是战国时代韩国的王族,看见国势削弱,几次上书谏韩
王,韩王不听,乃发愤著书,后世称为《韩非子》。当时的人陈
说事理都喜欢用故事来譬喻,有些是历史上的实事,有些是临时
编造的。《韩非子》里这种故事就很多,这里选了三篇。"喻
言"就是"譬喻"的意思,跟"寓言"差不多,只是因为现在习
惯上用"寓言"来指西洋式的假托于禽兽的故事,所以用"喻
言"以示分别。

## 音义

一 【缁 zī】黑。 【反】回来。(≡返。) 【吠 fèi】(狗)
叫。 【怒】生气。(≠恕。) 【犹是】如此,这么样。
犹(yóu):如,同。 【曩 nǎng】早先,当初。 【女 rǔ】你,
你的。(≡汝。)

二 【鲁】春秋时代的鲁国,在现在山东省南部。 【屦 jù】
麻鞋。 【缟 gǎo】白的绢。 【徙 xǐ】搬家。 【越】春秋时
代的越国,在现在浙江省。 【谓 wèi】跟……说。 【履 lǚ】
穿(鞋)。(从②鞋。) 【跣 xiǎn】赤脚。 【冠 guàn】戴(帽
子)。(从②帽子。) 【被 pī】≡披。 【所长 cháng】拿手的

066

本事。

三 【宋】春秋时代的宋国，在现在河南省东部。 【酤 gū】㈠卖（酒）；㈡买（酒）。（≡沽。）【升概】升斗；概也是量器。【县 xuán】挂。（≡悬。）【帜 zhì】旗子，布招牌。【售shòu】卖出去。（今"卖"，出~，寄~。）【所知】熟人。【闾 lǘ】二十五家为里，里门为闾，这儿可以灵活点讲一条街上或一个村子里。【长 zhǎng 者】年纪大或是地位高的人。【畏 wèi】怕。【孺 rú 子】孩子。【挈 qiè】提。【瓮 wèng】瓦罐子。【迓 yà】迎上前去。【齕 hé】咬。

## 古今语

一 【弟】兄~，今只二~，三~，~兄。【衣】㈠~服；㈡穿（衣）。【素】白。今只＝纯色（~的，不是花的）。【雨】下~。【解】脱，今只~脱，≠~开。【击】打，今只打~。【怪】觉得奇~。今只＝责备。

二 【身】自己，今只自~。【织】今只~绸~布等，草鞋是"打"。【妻】老婆，今只~子，夫~。【穷】~困，为难，比今义广。【发】头~。【游】走动，今只~行，~历，≠~戏。

三 【遇】招待，今只待~。【客】顾~，≠~人。【谨】恭敬。今只~慎（＝小心）。【故】缘~。【猛】凶~。【怀】放在~里，带着。今只~孩子，~恨。

**虚字**

①四九㊁ ②七四㊁ ③九二㊀ ④七四㊀ ⑤四九㊀
⑥一六六㊁ ⑦四五㊅ ⑧七九㊀ ⑨一六八㊀ ⑩一一〇㊀
⑪一〇八㊄ ⑫一〇四 ⑬一三三㊀ ⑭一六六㊂ ⑮一一一㊀
⑯九五㊁ ⑰一〇五㊀ ⑱八四㊀ ⑲八三㊀ ⑳四五㊃
㉑一六五㊅ ㉒四五㊁ ㉓七四㊀ ㉔六一㊀ ㉕九四㊁
㉖九五㊁ ＝岂（音不同） ㉘六八㊅ ㉙六〇㊀
㉚一〇八㊀ ㉛一二六㊀ ㉜一六四㊅ ㉝一一二㊀
㉞一〇九㊀ ㉟八三㊀ ㊱七四㊅ ㊲一五八㊀ ㊳九四㊆甲
㊴四五㊀

**语法**

1. 这三篇短短的文章里用了十四个"而"字。哪些个在现代语里必须用相当的虚字来替代的？哪些个是不必的？这些个"而"字在文言里也不全是非有不可的，有哪几个不妨不用？

2. 这三篇里有几个做宾语的"之"字？哪些在现代语里还用"他"或"它"？哪个是不用的？特别注意在"迓而龁之"这种格式里，现代语用"他"字，可是不在"之"字的位置上。

3. "此酒所以酸而不售也"是个判断句，"此"是主语，其余是谓语，"酒"字底下可以加个"之"字。翻成现代语是"这就是酒坏了卖不掉的缘故"，不是"所以这个酒坏了卖不脱"（虽然两句的意思是一样的）。

**讨论及练习**

1. 喻言是用故事来说明事理的。第一个故事说明什么道理？另外举一个情感的作用使人看不清事理的例子。

2. 第二个故事说明什么道理？另外举一个习惯使人忘了适应环境的例子。

3. 第三个故事说明什么道理？另外举一个某种情形不该有某种结果，是因为有另一种表面上不相干的情形夹在里面的例子。

4. 这三个故事合在一起说明一个什么意思？

5. 第二篇里的"鲁人"跟"越人"所指的范围是不是同样大小？"鲁人……"跟"越人……"在现代语里是不是用同一格式？从这一点上看现代语是不是比文言进步？

6. 把底下这些词语翻成现代语：（1）子亦犹是；（2）以子之所长，游于不用之国；（3）宋人有酤酒者；（4）为酒甚美，县帜甚高。

7. 模仿底下这些词语造句：（1）白而往，黑而来；（2）屦为履之也，而越人跣行；（3）迓而龁之；（4）此酒所以酸而不售也。

## 四 喻 言 [二] 百喻经

### 一 三重楼喻

往昔之<sup>①</sup>世，有富愚人，痴无所<sup>②</sup>知。到余富家，见三重楼，高广严丽，轩敞疏朗，心生渴仰。即<sup>③</sup>作是<sup>④</sup>念："我有财钱，不减于<sup>⑤</sup>彼<sup>⑥</sup>，云<sup>⑦</sup>何顷来而<sup>⑧</sup>不造作如<sup>⑨</sup>是之<sup>⑩</sup>楼？"

即<sup>③</sup>唤木匠而<sup>⑧</sup>问言曰："解作彼<sup>⑪</sup>家端正舍不<sup>⑫</sup>？"

木匠答言："是<sup>⑬</sup>我所<sup>⑭</sup>作。"

即<sup>③</sup>便语言："今可<sup>⑮</sup>为<sup>⑯</sup>我造楼如<sup>⑰</sup>彼<sup>⑱</sup>。"

是<sup>⑲</sup>时木匠即便经地垒墼作楼。愚人见其垒墼作舍，犹<sup>⑳</sup>怀疑惑，不能了知。而问之<sup>㉑</sup>言："欲作何等？"

木匠答言："作三重屋。"

愚人复<sup>㉒</sup>言："我不欲下二重之<sup>①</sup>屋，可<sup>⑮</sup>先为我作最上屋。"

木匠答言："无有是<sup>⑲</sup>事。何<sup>㉓</sup>有不作最下重屋而<sup>㉔</sup>得<sup>㉕</sup>造彼<sup>⑪</sup>第二之屋？不造第二，云<sup>⑦</sup>何得<sup>㉕</sup>造第三重屋？"

愚人固言："我今不用下二重屋，必可<sup>⑮</sup>为我作最上

070

者㉖。"

时人闻已，便生怪笑。咸作是言："何有不造下第一屋而得上者？"

## 二 蹋长者口喻

昔有大富长者，左右之人欲取其㉗意，皆㉘尽恭敬。长者唾时，左右侍人以㉙脚蹋却。

有一愚者㉚不及㉚得蹋，而作是言："若㉛唾地者㉜，诸人蹋却。欲唾之时，我当先蹋。"

于㉝是长者正欲咳唾，时此㉞愚人即便举脚蹋长者口，破唇折齿。长者语愚人言："汝何㉟以故蹋我唇口？"

愚人答言："若㊱长者唾出口落地，左右谄者㊲已㊳得蹋去。我虽㊴欲蹋，每常不及。以㊵是㊶之故，唾欲出口，举脚先蹋，望得汝意。"

## 三 人谓故屋中有恶鬼喻

昔有故屋。人谓此㊷室常有恶鬼，皆㊸悉怖畏，不敢寝息。

时有一人，自谓大胆，而作是言："我欲入此室中寄卧一宿。"即㊹入宿止。

后有一人，自谓胆勇胜㊺于余人。复闻傍人言此室中恒有恶鬼，即欲入中。排门将㊻前。时先入者㊼谓其㊽是鬼，即复推门，遮不听前。

在后来者复谓有鬼。二人斗争，遂[41]至天明。既[42]相[43]觇已，方[44]知非[45]鬼。

**作者及篇题**

见本书"《痴华鬘》题记"篇。

**音义**

一 【昔 xī】从前。 【愚 yú】笨。 【严】庄～的省说，整齐美好。（佛经。） 【轩】宽，开，只～敞，～豁，～朗。【仰】羡慕。渴～，比较"渴望"。 【顷来】向来（跟"顷"字本义不合）。 【经】分画。 【垒 lěi】堆积。 【已】了。 【咸 xián】都。

二 【长 zhǎng 者】有钱有势的人。（佛经。） 【取其意】得他喜欢。 【却】（动词后）掉，了。 【诸人】众人。 【谄 chǎn】拍马屁。

三 【谓】㊀说；㊁以为。 【故】旧。 【悉】都。 【恒 héng】常常。 【听 tìng】≠ tīng 让。 【觇 dǔ】看见。（三睹。）

**古今语**

一 【往】过去，今只已～。 【世】时代（从"三十年为一～"）≠～界。 【痴】～呆，傻。 【余】其～，别的。 【重

chóng】层，今只一～难关，～～叠叠。 【广】宽，今只～大，～义，～告。 【丽】美～。 【敞】宽～。 【疏】通达，今只劢～通。 【朗】亮，今只明～。 【念】～头。 【减】差，差似，≠～去。 【唤】叫……来，≠叫～。 【解】懂得，会，今只了～。 【端正】好（佛经中常用），≠"五官～～"。【答】回～。 【今】现在，今只～天，～年。【墼jī】土～，土坯子。 【了】～解。 【何等】什么，今只=多么。 【下】底～。 【上】～头。 【固】硬，愣，今只～执，顽～。 【时人】当～的～，人家。 【已】了。 【怪笑】惊怪和嘲笑。

二 【蹋tà】踩。（≡踏。） 【唾tuò】㊀～沫；㊁吐～沫，吐痰。 【侍】～奉，伺候。 【当】该，今只应～。 【举】抬起，今只～手。 【破】弄～。 【唇】嘴～。 【折】弄断，断（打～了腿）。≠shé 【齿】牙～。 【每】～～。 【常】～～。【望】指～，希～。

三 【室】屋子，今只教～，寝～等。 【怖】怕，今只恐～。 【寝】睡，今只～室。 【息】停留，≠休～。 【大胆】胆大。 【寄】临时（住），今只～宿。 【卧】睡，今只～车。【宿sù】㊀夜（单位，今xiǔ）；㊁住～。 【止】停留，≠停～。【后】～来。 【勇】～气。 【胜】比……强，≠赢。【排】推，今只～球。 【前】向前去。 【遮】拦，≠～蔽。【明】亮，今只光～，～星。

**虚字**

  ①四九㊂  ②九四㊄  ③一一六㊁  ④一一〇㊀  ⑤九五㊆

⑥九三㊁ ⑦五八㊁ ⑧七四㊅ ⑨七三㊄ ⑩七四㊀
⑪九三㊁ ⑫九一㊀ ⑬＝今"是" ⑭九四㊀ ⑮六八㊁
⑯一六五㊃ ⑰七三㊀ ⑱九三㊀ ⑲一一〇㊀ ⑳一六八㊁
㉑四九㊀ ㉒一六九㊁ ㉓八三㊃甲 ㉔七四㊀ ㉕一五六㊀
㉖一〇八㊀ ㉗九二㊀ ㉘一二五 ㉙六一㊀ ㉚五三㊃
㉛一一四㊅ ㉜一〇八㊅ ㉝九五㊈ ㉞七二㊀ ㉟八三㊉
㊱四六㊁ ㊲一九一㊀ ㊳六一㊀ ㊴一四八㊀ ㊵九二㊁
㊶一七六㊁ ㊷一五四㊀ ㊸一一九㊀ ㊹五二㊁ ㊺九七

## 讨论及练习

1. 这三篇是佛经里的喻言，原来都在篇末申明譬喻的意思，无非跟佛法的修习有关。现在删去这些"教诫"，让这些譬喻可以广泛适用。试问：第一个故事说明什么道理？我们求学的时候有没有这种情形？什么叫做"躐等"？

2. 第二个故事说明什么道理？什么叫做"时机"？怎么叫做"过犹不及"？

3. 第三个故事说明什么道理？什么叫做"误会"？什么叫做"成见"？成见跟误会的关系怎么样？

4. 翻译佛经的文体跟正统文言有点不同，比较接近口语。在这三篇里头有哪些词语可以证明这一点？

5. 可是佛经又跟其他接近口语的文体不同，只要跟本篇以下的两篇比较比较就可以知道。它的特有的风格最初也许是由于翻译（正像现代的翻译作品一样），可是后来中国佛教徒的著作也都采取这种笔调，甚至文人一时游戏也有模仿佛经的。这种风格的最明显的特点是爱用"四字句"，就是四字一顿，不一定是语法上所谓"句"。大概是译经的人有意这么安排，为的是便于读熟。这里的三篇充分证明这个特点。有些停顿似乎是八个字的或十二个字的，这是因为我们是依照文义去点断的，读惯佛经的人，他会每逢四个字给它一个停顿，不管意义上断得下断不下。可是这三篇里也有几处例外，是六个字停顿的，能指出来吗？

6. 以四字句为主的风格产生一些后果。有些地方，一个意思连用两个意义相同或相近的字，例如："往昔，造作，即便，必可，皆尽，咳唾，每常，皆悉，胆勇。"有些地方加用不必需的虚字，尤其是本来颇有弹性的"而"字、"之"字、"于"字，例如："云何顷来而不造作……"，"而问之言"，"我不欲下二重之屋"，"而得造彼第二之屋"，"以是之故"，"胜于余人"。也有与此相反，似乎该有虚字而硬省了的，例如："若唾地者"，"出口落地"，"即欲入中"，"遮不听前"。

7. "云何"，"何以故"，"以是之故"，"……作是念"，"……作是言"都是佛经里常用的词语。引进对话，不用"曰"字用"言"字，也是跟一般文言不同处。

# 五 游子吟 孟郊

慈母手中线，游子身上衣。
临行密密缝，意恐迟迟归。
谁言寸草心，报得三春晖？

## 作者及篇题

　　孟郊，字东野，唐湖州武康人，诗家。有《孟东野集》。这篇见于集中，他自注"迎母溧上作"。他做溧阳尉，就把母亲迎到任所，这篇表现出他的孝思。游子，离开家乡的人，这里是远游在外的儿子。吟，诗歌的名称，诗题作"吟"的很不少。

　　这首诗属于乐府一类。所谓"乐（yuè）府"，本是汉武帝时一个官署的名称，那是专管音乐的。后来凡是配有乐谱可以歌唱的诗歌，也称"乐府"。可是到了隋唐时代，又有借用古时乐府的题名和格局，而实际上没有乐谱，不能歌唱的，这一首大概属于这一类。

## 音义

　　【寸草】一寸长的小草，比喻儿子。 【三春晖】春天的阳光，比喻母爱。晖（huī）：太阳光。

## 古今语

【慈】～爱。　【意】～思。　【迟迟归】老不回来。迟：慢，≠晚。　【报】～答，今只～恩，～仇。

## 诗体略说

诗歌大多数用五字句、七字句，叫做五言诗、七言诗。这一篇是五言诗。

大多数的诗歌都在双数句的末了押韵（就是第二句、第四句、第六句……末一字韵母相同）。这一篇中，"衣"、"归"、"晖"三字是同韵母。

说话读书，古今声音不同，时代相距愈久，声音变化愈大。因此，古来的同韵字，现在人念起来未必也同韵。像这篇中的"衣"（yī）字跟"归"（guī）、"晖"（huī）两字，现代音就不同韵。但在唐朝，这三个字都在平声微韵。

## 讨论及练习

1. 头两句中没有一个动词，线和衣什么关系，让读者去意会。试把这两句说成现代语。

2. "临行"是谁"行"？"意恐"是谁"恐"？

3. 前四句侧重在谁的方面？后两句侧重在谁的方面？

4. 把承受母爱的儿子比作春光中的小草，这个意境怎么样？

5. 末了如果不作问句，改作"应知寸草心，莫报三春晖"，这首诗的力量跟效果怎么样？

6. 试就这首诗说明用具体形象表抽象意思的作用。

## 六　王蓝田　刘义庆

### 一

王蓝田性急。尝①食鸡子，以箸刺之不得，便大怒，举以②掷地。鸡子于地圆转未③止，仍下地以屐齿蹍之，又不得。瞋甚④，复于地取内口中，啮破，即吐之。

王右军闻而大笑，曰："使安期有此性，犹⑤当无一豪可论，况⑥蓝田耶⑦？"

### 二

谢无奕性麤彊。以⑧事不相得，自往数王蓝田，肆言极骂。王正色面壁，不敢动。半日，谢去良久，转头问左右小吏，曰："去未⑨？"答云："已去。"然后复坐。时人叹其⑩性急而能有所⑪容。

### 三

王述转尚书令，事行便拜。文度曰："故⑪应让杜、许。"蓝田云："汝谓我堪此不⑫？"文度曰："何⑬为不堪？但克让自是美事，恐不可阙。"蓝田慨然曰："既⑭云堪，何为复让？人言汝胜我，定⑮不如我。"

## 作者及篇题

东晋王述袭爵蓝田侯，世称王蓝田。这三篇关于他的记载是从《世说新语》里选录的。这部书的作者据书志是刘宋（东晋以后的一个朝代）临川王义庆，也许出于他的门客之手。这部书记载汉末到东晋的许多名人的轶事，富有文学趣味，对于研究历史的人也很有用。

## 音义

一 【箸 zhù】筷子。（≡箸，≠筋。） 【便】就。 【蹍 zhǎn】踩。 【瞋 chēn】怒，恨。 【内 nà】放进去（≡纳）。 【啮 niè】咬。 【王右军】王羲之，他做过右军将军。 【安期】王述的父亲王承，字安期，是当时名士。 【无一豪可论】不足道，无可取。豪≡毫。论：称说。

二 【谢无奕】谢奕，字无奕，谢安的哥哥，谢玄的父亲。【麤】≡粗。 【彊】强横。（≡强，≠疆。） 【不相得】处得不好，闹翻。 【正色】绷着脸，沉着脸。 【良久】好一会儿。良：很。 【复坐】恢复正面而坐。 【时人】当时的人。

三 【转 zhuǎn】官吏调任。 【尚书令】当时很尊贵的官职。 【事行】任官的命令下来。 【拜】～而受命，就任。 【文度】王述的儿子王坦之，字文度。 【杜、许】不知道名字，该是两个有名望的人。 【堪 kān】胜任，当得。 【克让】能让（出于《尚书·尧典》"允恭克让"）。 【阙 quē】少。
（≡缺。） 【慨然】叹口气。


**古今语**

一 【性】～子。 【食】吃，今只～物，饮～。 【刺】
扎，今只～刀，～绣。（≠刺。） 【不得】不着，≠不能，如
吃～～。 【掷】扔，今只～骰子，～铅饼。 【圆转】打转，打
滚。 【仍】又，≠～旧。 【屐 jī】木～。

二 【数 shǔ】～说，～落。 【肆】尽量，无顾忌，今只
放～。 【极】今只修饰形容词。 【面】脸对着，今只ⓝ，并且
不单用。 【壁 bì】墙，今只墙～，隔～。 【日】天，今只～
记，～报等。 【吏】官，小官，今只官～。 【复】恢～。
【叹】赞美，≠～气。 【容】包涵，今只宽～，～忍。

三 【自】～然。 【美】好，今只用于具体的东西。
【恐】～怕。


**虚字**

①一七九 ②六一⊜ ③六四⊜ ④一二六⊜ ⑤一六八⊜
⑥一〇三 ⑦一一二⊜ ⑧六一⊜ ⑨九二⊜ ⑩九四⊗
⑪一一三⑤ ⑫九一⊜ ⑬八三⊕ ⑭一五四⊜ ⑮九九⊜


**语法**

1. 面壁（ⓝ转ⓥ）。

2. 瞋甚；大怒；肆言；极骂；良久。

3. 举 [ ] 以 [ ] 掷地；取 [而] 内 [之] 口中。

4. 比较：去未？汝谓我堪此不？"未"字这种用法汉朝才开始有；"不"字若是不作为"否"的简写，那也是汉朝以前没有的。

## 讨论及练习

1. 这三篇都是所谓"轶事"，跟一般的故事不同。每篇写的是一件事情，可是目的在于写出一个人的性格。这种轶事是传记的好材料，例如《晋书》就采用了《世说新语》和许多同类的书里的记载。这三篇短文当然不够描写王蓝田的整个的性格，可是已经可以看到一点。说说看，王蓝田是怎样的一个人？

2. 一个人性子太急好不好？为什么？知道自己性急应该怎么样？

3. 跟性子急相反的是哪一种人？这样好不好？又该怎样办？

4. 中国社会讲究谦让，王蓝田为什么拜官不让？是不知道还是不肯？这跟性子急是一回事还是两回事？（《晋书》的《王述传》里说："述每受职，不为虚让。其有所辞，必于不受。"）

5. 当时称人，或是称他的字，或是称他的官，或是称他的封爵，称名是很少的。试在这三篇里分别找出实例。这还不算，一个人又往往有不止一个名称：在《世说新语》里王述又称怀祖（字），王羲之又称逸少（字），王承又称东海（东海太守，官），谢奕又称安西（安西将军，官），王坦之又称中郎（中郎将，官），又称安北（安北将军，官）。这当然都是读书人的无聊的玩意儿。这个风气从魏晋到唐宋都很盛，明以后较少。

6.《世说新语》的风格很朴实。一方面省去许多文言常用的虚字，如这三篇里"者"字、"也"字、"乎"字一个都没有，语助词只有一个"耶"字，最常见的"而"字也只有两个。另一方面，它肯容纳当时口语里的词语，如"鸡子"、"筯"、"数"、"头"、"定"。

7. 把第一篇翻成现代语。

## 七　桃花源记　陶潜

晋太元中，武陵人捕鱼为<sup>①</sup>业。缘溪行，忘路之远近。忽逢桃花林，夹岸数百步，中无杂树，芳草鲜美，落英缤纷。渔人甚异之。复前行，欲穷其<sup>②</sup>林。

林尽水源，便得一山，山有小口，仿佛若<sup>③</sup>有光。便舍船，从口入。初极狭，才通人。复行数十步，豁然开朗，土地平旷，屋舍俨然，有良田美池桑竹之属。阡陌交通，鸡犬相闻。其中往来种作，男女衣着，悉如外人。黄发垂髫，并<sup>④</sup>怡然自乐。

见渔人，乃<sup>⑤</sup>大惊，问所从来。具答之。便要还家，设酒杀鸡作食。村中闻有此人，咸来问讯。自云先世避秦时乱，率妻子邑人来此绝境，不复出焉<sup>⑥</sup>，遂<sup>⑦</sup>与外人间隔。问今是何世，乃<sup>⑧</sup>不知有汉，无论魏晋。此人一一为<sup>⑨</sup>具言所闻。皆叹惋。

余人各复延至其家，皆出酒食。停数日，辞去。此中人语云："不足<sup>⑩</sup>为<sup>⑪</sup>外人道也。"既<sup>⑪</sup>出，得其船，便扶向路，处处志之。及郡下，诣太守，说如此。太守即遣人随其往，寻向所志，遂<sup>⑫</sup>迷，不复得路。

南阳刘子骥，高尚士也，闻之，欣然规往。未果，寻病终。后遂⑫无问津者。

## 作者及篇题

陶潜字渊明，东晋末年人。为人恬退，不慕名，不慕利。一生穷困。喜欢喝酒跟作诗。他的诗风跟当时的一般诗人的风格全不相同，词语平淡，可是意味醇厚。历代有多少人学他，没有一个学得像的。这一篇是他的《桃花源》诗的前面的一篇小记。

## 音义

【太元】晋孝武帝年号（三七六—三九六）。 【武陵】郡名，在今湖南省常德县境。 【捕 bǔ】捉。 【缘】顺着。【芳】香。 【英】花，只落~。 【缤 bīn 纷】杂乱的样子。【穷】……完（这里是走完）。

【尽〔于〕】到……为止。 【豁 huò 然】开通的样子。【旷】广大显露。 【俨 yǎn 然】整齐。 【属】类。 【阡陌 qiān mò】田埂。 【黄发】老年人。 【垂髫】小孩儿。垂（chuí）：挂下。髫（tiáo）：小孩儿的挂下来的头发（大人梳髻）。 【怡 yí 然】快乐的样子。

【具】详细。 【要 yāo】邀请。 【率 shuài】带领。 【邑人】同邑的人，同乡。邑（yì）：地方。 【惋 wǎn】惊叹。

【扶】顺着……走。 【及】到了。 【郡 jùn】古代地方区域名，比县大。"郡下"，比较"都下"、"洛下"。 【诣 yì】到。【太守】郡的长官。 【遣 qiǎn】派。（≠遗。）

【南阳】就是现在河南省的～～。　【高尚】清高。　【士】人。　【欣 xīn 然】高高兴兴的。　【果】实现，只不～，未～。【寻】不久。　【问津】问路。津：渡口。

## 古今语

【业】行～，职～。　【忽】～然。　【林】树～子。【鲜】新～，～明，≠味道好。　【异】诧～。

【舍】丢下，今只～弃，～（不）得。　【初】起～。【狭】窄，今亦～窄。　【才】只，刚，今多用于时间。　【通】～得过。　【良】好，今只优～，～善。　【交通】彼此相通。　【往来】来来去去，≠交际。　【种】～田。　【作】做活。　【衣着】穿的戴的。　【外人】外面的人，≠外国人。　【乐】快～。

【渔 yú 人】打鱼的。　【惊】～奇，≠害怕。　【设】备，今只名～备。　【作食】备饭。食名今只饭～，伙～。　【讯 xùn】问。今只名音～。　【先世】上代，祖宗。　【境】地方，今只环～。又～界。　【间 jiàn】隔，今只～断。　【世】时代，≠世界。　【无论】更不必说，≠不管。　【一一】一件件。【叹】～息。

【停】～留。　【道】说，今只～喜，～谢。　【向】早先，今只～来。　【志】记，做记认，今只名杂～。

【规】计划，今只～划。　【终】死，今只送～。

## 虚字

①一六五⊜　②九二⊖　③一一四⊜　④一〇六⊖　⑤四四⊜

086

⑥一五八〇 ⑦一七六〇 ⑧四四㊄ ⑨一六五㊆ ⑩八九〇
⑪一五四〇 ⑫一七六〇

## 语法

1. 武陵人捕鱼为业＝有一个武陵人……（见前"《喻言》[1]"讨论及练习5）。这一句也可以作"武陵人有捕鱼为业者"。

2. 林尽〔于〕水源，便要〔之〕还家；为〔之〕具言所闻；延〔渔人〕至其家。

3. "问所从来"是村中人问，"具答之"是渔人答，上下两句都省去主语，实际上主语不同。文言里这种情形很多，试在本篇跟以前各篇里再找些例子。

4. 悄如外人；并怡然自乐；咸来问讯；皆叹惋。

## 讨论及练习

1. 这是一篇记事文。现在把它分成五段，试说每一段的大意。

2. 陶渊明做这篇记，也许有一点事实做引子，但也只是一个引子而已，一切的铺叙大概都出于他的幻想。后来人往往以为当真有这么个不闻理乱、怡然自乐的"世外桃源"，你以为怎么样？当时可能不可能有？现在可能不可能有？

3. 不相信这是事实的人就说陶渊明写这篇文章是有所寄托的，这寄托又是什么？

4. 这篇文章有了前四段已经有头有尾，不缺什么了，添上个第五段有什么作用?

5. 这一篇的文体跟笔记文相近。用语助词很少,没有一个"矣"字,只有两个"也"字跟一个"焉"字,那个"焉"字严格说还不能算是语助词。最常用的连接词"而"和"则",这里也一个都没有。(试与《为学》比较,那一篇的字数只有这一篇的一半,可是语助词跟连接词多得多。)口语成分也很有一些,例如"便"字前前后后有四个,"向"字有两个,还有一个"是"字(问今是何世),一个代"他"字的"其"字(随其往——依一般文言的用例,"随之往"更加合适些)。但是就大体而论,这里边的词语和语法还是文言的,尤其是那些从古书里引来用的现成词语:芳草(《离骚》),落英(《离骚》),鸡犬相闻(《老子》),黄发(《诗经》),垂髫(《三国志》),问津(《论语》)。

6. 这一篇文章多用短句,三个字、四个字的最多,而且几乎处处可断。(我们现在加以新式标点,自然不得不分","和"。",在作者和以前的读者心目中是没有这种区别的。)试问这形成怎样的一种风格? 这种风格用在什么场所最相宜? 用在什么场所不合适?

7. "见渔人……便要还家……"的是谁? 我们现在能不能这么不交代明白就说"看见了这个打鱼的……"?

8. "问今是何世"跟"乃不知有汉"中间省略了一句什么话没有?

9. "鸡犬相闻"怎么讲? 是不是"鸡"跟"犬"相闻?

10. 把三、四两段翻成现代语。

## 八 口 技　林嗣环

　　京中有善口技者。会宾客大宴，于厅事之东北隅施八尺屏障。口技人坐屏障中，一桌，一椅，一扇，一抚尺而①已。众宾围坐，少顷，但②闻屏障中抚尺一下，满坐寂然，无敢哗者。

　　遥闻深巷中犬吠，便有妇人惊觉欠伸，丈夫呓语。既③而儿醒，大啼。丈夫亦醒。妇抚儿，儿含乳啼，妇拍而呜之。又一大儿醒，絮絮不止。当是时，妇手拍儿声，口中呜声，儿含乳啼声，大儿初醒声，夫叱大儿声，一时齐发，众妙毕备。满坐宾客无不伸颈，侧目，微笑，默叹，以为妙绝。

　　未④几，夫鼾声起，妇拍儿亦渐拍渐止。微闻有鼠作作索索，盆器倾侧。妇梦中咳嗽。宾客意少⑤舒，稍稍正坐。

　　忽一人大呼"火起！"夫起大呼，妇亦起大呼。两儿齐哭。俄百千人大呼，百千儿哭，百千犬吠。中间力拉崩倒之声，火爆声，呼呼风声，百千齐作；又夹百千求救声，曳屋许许声，抢夺声，泼水声：凡⑥所⑦应有，无所⑧不有。虽⑨人有百手，手有百指，不能指其一端；人有百口，口有百舌，不能明其一处也⑩。于是无不变色离席，奋袖出臂，两股战战，几⑪欲先走。

忽然抚尺一下，众响毕绝。撤屏视之，一人，一桌，一椅，一扇，一抚尺而已。

## 作者及篇题

林嗣（sì）环，字铁崖，清福建晋江人。顺治进士。曾经因事充军边疆，后遇大赦，才得回来。寄寓杭州，就客死在那里。著有《秋声诗》，本文就是诗集的自序里的一段。口技是一种民间技艺人的技术，学各种人的说话声音以及各种鸟鸣兽叫，从前又称为"相声"。现在专门称两个人对答着说些滑稽话的为"相声"，一般的口技就称为"口技"。

## 音义

【宾 bīn】客人。 【厅事】大厅，客厅。古时候官吏问事的地方称"听事"，后来简称为"听"，就加写"广"旁，可有时候连本来的"听事"也写成"厅事"。同时，也用于私人家里的厅堂，不再限于官署。 【隅 yú】边，角。 【施】安，搁。【八尺屏障】屏（píng）跟障（zhàng）原来都是动词，都是遮拦的意思，后来用作名词，指用来遮拦的东西，这里指的是围帐。八尺是高，其实不见得真是高八尺。《燕丹子》里有"八尺屏风"这么句话，这儿是用的成语。 【抚 fǔ尺】惊堂木，说书等等的人用的。抚，本是摸的意思，这儿作拍讲，≡拊。 【少

090

顷】过了一会儿。"少"跟"顷"都是一会儿的意思。 【闻】听见。 【满坐】全场。坐≡座。 【寂ì然】静悄悄的。 【哗 huá】说话的声音大而且多。

【遥 yáo】远远的。 【犬 quǎn】狗。 【欠伸】打呵欠跟伸懒腰。 【呓 yì语】说梦话。 【抚】～慰，摸摸他，安慰他。 【乳 rǔ】不读 nǎi。 【呜】哼哼唱唱的。 【叱 chì】责骂。 【一时】同时。 【齐】一块儿，一起。 【侧 cè目】斜看，使眼色。～～通常有害怕、怀恨、不敢说话的意思，如"道路侧目"；这儿描写听得入神的样子。

【齁 hōu】打呼。 【作作索索】描写耗子的声音。 【倾侧 qīng cè】侧就是现代侧 (zhāi) 歪的意思，倾有翻跟侧两个意义，这儿都可以讲。 【舒】宽，放开。

【俄】一会见。 【崩 bēng】倒塌。 【曳 yè】拉。 【许许 hǔ hǔ】拟声词。 【端】件。 【变色】脸上变了颜色。 【席】座位。古代没有凳子，都坐在席上，后世沿例称座位为席。 【奋 fèn 袖】奋，本是举的意思，这里似乎作撩起来讲。 【战战】哆嗦。


**古今语**

【会】聚～，今只～亲，～客。

【觉 jué】醒，今只～悟。 【儿】孩子，今只～童，～女，女～。 【啼】哭，今只哭哭～～。 【絮絮】今只～～叨叨。 【止】停～。 【口】嘴，今只喝一～，信～开合。 【妙】巧～。

091

【毕】全，≠完～。　【备】有，不缺，今只完～。　【颈】脖子，脖～子。　【目】眼，今只～力，～光，面～。　【微】～～的。　【默】不说话，今只静～。　【绝】㊀极；㊁断～；完结。

【渐】～～的。　【鼠】耗子，老～。　【器】今只～具，瓷～，木～。　【意】心里，今只大～（疏忽），≠～思。

【爆】～裂。　【作】发～。　【屋】房～，≠～子（＝[⊗]室）。　【应】～该。　【明】指～。　【离】～开。　【出】露～。【臂】胳～。　【股】大腿，今只屁～（部位不同）。

【响】～声，今单用只㊗。


## 虚字

①七四⊖　②八八⊖　③一五四㊃　④六四⊖　⑤五五⊖
⑥四七⊖　⑦九四⊖　⑧九四㊄　⑨一九一⊖　⑩四五⊖
⑪一六一⊖


## 语法

1. "会宾客大宴"，谁会？"力拉"，谁拉？拉什么？"崩倒"，什么倒塌？

2. 为什么有些地方用"妇人"和"丈夫"，有些地方只用"妇"和"夫"？

3. "人有百手，手有百指"，人＝一人，手＝一手。"百千人"是不是＝一百人，一千人？

4. 凡所应有，无所不有＝应有尽有。注意"所"字的作用。

5. 围坐＝围着坐；含乳啼＝含着奶哭；夹百千求救声＝夹杂着……的声音。

6. "正坐"和"火起"现代语怎么说？（词序）

7. "力拉"现代语怎么说？比较"力劝"、"力谏"（一九）。


## 讨论及练习

1. 本篇记口技，是描写文。但口技演的是一段故事，所以同时也是叙事文。可又跟一般的叙事文不同，不同在哪儿？

2. 本篇分五段。头一段是个引子，写奏技之前的情形；末段是个结束，写奏技以后的情形。两段都拿"抚尺一下"作为跟中间三段的界限。中间三段写奏技情形，是本篇主体。这三段各写一个段落，是怎么样的三个段落？

3. 这三个段落的口技在听的人的情绪上引起怎样不同的反应？

4. 演口技的人用四样东西，里面有一样是扇子，这是做什么的？桌子、椅子除坐以外，抚尺除"一下"以外，有没有别的用处？从哪儿看得出？

5. 本篇用了几个"闻"字？各自加个什么副词？这几个字用得好不好？若是多用几个"闻"字好不好？为什么？

6. 把"口技人"、"抚尺一下"、"拍而鸣之"这些词语翻成很自然的现代语。添了些什么必不可少的字？

7. "虽人有百手，手有百指，不能指其一端；人有百口，口有百舌，不能明其一处。"怎么讲？

8. 本篇用了些什么表示时间的词语？用这些词语造句。

9. 我们在前面一连读了好几篇比较接近口语的文章，这一篇又和头上三篇相同，属于正统的文言。可是这一篇的风格跟那几篇又有些不同，我们感觉它的气势特别流畅，尤其是第四段。作者用什么方法产生这样的效果的？作者是清初人，多少继承了晚明的作风，那个时代的作家竭力摆脱唐宋"古文家"的束缚，尽管在词汇方面守着文言的范围，在文法章法上却不愿意拘拘束束，口语的，佛经的，时文（八股文）的特色都会被他们改头换面地运用进去。到了桐城派起来，就又重新钻进"古文家"的樊笼里去了。

## 九　核工记　宋起凤

季弟获桃坠一枚，长五分许[①]，横广五分。

全核向背皆山。山坳插一城，雉历历可数。城巅具层楼，楼门洞敞。中有人类司更卒，执枹鼓，若[②]寒冻不胜者[③]。

枕山麓一寺，老松隐蔽三章。松下凿双户，可开阖。户内一僧，侧首倾听：户虚掩，如应门；洞开，如延纳状——左右度之无不宜。松外东来一衲，负卷帙踉跄行，若为佛事夜归者[④]。对林一小陀，似闻足音仆仆前。

核侧出浮屠七级，距滩半黍。近滩维一小舟。篷窗短舷间，有客凭几假寐，形若渐寤然[⑤]。舟尾一小童，拥炉嘘火，盖[⑥]供客茗饮也[⑦]。舣舟处当寺阴。高阜钟阁踞焉[⑧]。叩钟者貌爽爽自得，睡足徐兴乃[⑨]尔[⑩]。

山顶月晦半规，杂疎星数点。下则[⑪]波纹涨起，作潮来候。

取诗"姑苏城外寒山寺，夜半钟声到客船"之句。

计人凡[⑫]七：僧四，客一，童一，卒一。宫室器具凡九：城一，楼一，招提一，浮屠一，舟一，阁一，炉灶一，钟鼓各一。景凡七：山、水、林木、滩石四，星、月、灯火三。而⑫人事如⑬传更，报晓，候门，夜归，隐几，煎茶，统为⑭六，各殊致殊意，且并⑮其愁苦、寒惧、凝思诸态俱一一肖之。

语云："纳须弥于芥子"，殆⑯谓是与⑰！

## 作者及篇题

宋起凤，字来仪，清康熙时河北人。曾经有人荐举他去应博学鸿词科的考试，他不去应考。喜欢游历，到过南北各地。本文描写一个桃核上雕刻的人物风景。

## 音义

【季弟】小兄弟。从前拿伯（或孟）、仲、叔、季四个字来排弟兄或姊妹的次序，季是最小的一个，可不一定是第四个。【获 huò】得。

【坳 ào】山洼子。　【雉 zhì】城墙垛子，通常～堞，不单用。　【历历】清清楚楚。　【巅 diān】顶上。　【具】有。【洞敞】大开。洞：空，通。　【司更卒】更夫，打更的。　【桴 fú】鼓槌子。　【不胜 shēng】受不了。

【麓 lù】山脚下。　【章】棵，根（大木头）。　【阖 hé】关。　【倾听】侧着耳朵听，用心听。　【虚掩】关着，可是不闩着。　【应门】等门。　【延】请。　【纳】放进来。　【度 duó】忖～，观察。　【衲 nà】和尚（本义是和尚穿的那种衣服）。【卷帙 juàn zhì】书（这儿指和尚念的经本子）。卷：古代书籍没有装订，卷成一个一个卷子；帙：书套子。【踉跄 liàng qiàng】歪歪倒倒的，跌跌冲冲的。 【佛事】和尚给人家念经。 【陀】头～，和尚。（译音。） 【仆仆】走路的声音。

【浮屠】宝塔。（译音。） 【半黍】半分长。（黍子颗粒均匀，古代用来定尺寸，一百颗黍子连接起来是一尺。） 【维】拴着。 【舷 xián】船边。 【凭】靠着。 【假寐】打盹儿（不可照字面讲假睡）。 【寤 wù】醒。 【童】～仆。（＝僮。）【嘘】吹。 【茗 míng】茶。 【舣 yǐ】靠（船）。 【阴】背后。 【阜 fù】土山。 【踞 jù】蹲着。 【叩 kòu】敲。 【爽爽】轻松～快。 【自得】～～其乐，快活。 【徐】慢慢的。【兴】起身。

【晦】暗。 【半规】半个圆（从“圆规”）。

【姑苏……】唐朝张继的《枫桥夜泊》：“月落乌啼霜满天，江枫渔火对愁眠。姑苏城外寒山寺，夜半钟声到客船。”

【招提】寺。（译音，本义为四方，僧为四方僧，所住处为～～僧坊，后来简称～～。） 【人事】行为，动作。 【晓】天亮。 【隐 yìn 几】靠着茶几。 【统】总共。 【致】情趣。【凝】聚精会神，只～思，～视。 【俱 jù】都。 【肖 xiào】像。

【须弥】佛经里的高山。


## 古今语

【坠 zhuì】～子，挂在扇子等等底下的。 【枚】个，今只用于奖章等。

【向背】正面跟反面。　【层楼】几层的楼房。　【司】管，今只~机，~法。　【执 zhí】拿着，今只~照（拿着做凭据）。【寒】冷，今只~带，~热。

【寺】佛~，今只用在佛~的名字里头。　【隐】~藏。【蔽】遮~。　【户】门，今只门~。　【首】头，今只~饰。【状】样子，今只~态，形~。　【负】背着，今只~担。　【林】树~子，今只森~。　【似】~乎。　【音】声~。

【侧】旁边，今只~面。　【级】层，今不大用做单位词。【距】离，今只~离。　【滩】河~，≠水流得急的地方。【篷】船顶，≠帆。　【间】中~。　【几】茶~。【客】人（比较侠~，政~）。　【形】样子，今只~状。【舟尾】船梢。【拥炉】围着炉子。拥≠抱。　【供】~给。　【饮】~料，茶水。　【处】地方，今只~~，到~，一~。　【当】~着。【阁】楼，今只~楼。　【貌】相~。

【杂】夹着，今只夹~。　【疏】稀，不密，今只~远，~忽。（＝疏。）　【波】~浪。　【潮】~水。　【候】时~。

【姑苏】苏州。

【计】共~，算起来，今只~算。　【宫室】房屋。　【景】~致，风~。　【传更】打更。传：~布。　【报】~告，今只~信，~喜。　【候】等~。　【殊】不同，今只特~。　【意】~态，姿势，≠~思。　【惧】怕，今只恐~。　【思】想，今只⊛~想，心~。　【态】状~，~度。　【一一】一样样的。

【语云】俗话说，从前人说。

## 虚字

①一五一〇　②一一四四　③一〇八四　④一六四四
⑤一八一〇　⑥四五〇　⑦一五八〇　⑧四四五　⑨一八三〇
⑩一〇九四　⑪四七〇　⑫七四〇　⑬七三〇　⑭一六五〇
⑮一〇六四　⑯一一八　⑰一九四〇

## 语法

1. 称说东西的件数，可以把数目说在头里，也可以把数目说在后头，再加上用单位词（量词）跟不用单位词的分别，一共有四种格式：（1）一牛，（2）牛一，（3）一头牛，（4）牛一头。现代通常用（3）式，写账的时候也用（4）式。文言大多数地方不用单位词，但是也有非用不可的地方。这一篇里主要的是（1）（2）两式，就是不带单位词的，这是文言里的正常形式。前几段是普通叙述，用（1）式：一城，一寺，一僧，一衲，一小陀，一小舟，一小童。第七段点算人物，用（2）式：僧四，客一，等等。此外有"桃坠一枚"和"疏星数点"，属于（4）式。（这两处为什么不用（1）或（2）式?）"老松隐蔽三章"这句，严格说是不大通的，只能说"老松三章蔽之"。

2. 现代语里表示事物的存在，常常采用动词在前、主语在后的词序，如"大门口放着一条板凳，板凳上坐着一个老头儿"。古代没有这个习惯，可是后世的文言里也常常有这种格式出现，本篇外貌很古，可是有不少这种例子，你能不能把它全给找出来？

## 讨论及练习

1. 本篇记一件雕刻品，是描写文。这件雕刻的内容是两句诗，这位雕刻家怎样表现这两句诗？怎样表现"夜半"？怎样表现"钟声到客船"？

2. 雕刻品是静止的，写文章的人要把它写活，哪些语句是用来达到这个目的的？

3. 作文忌呆板。第七段总计人物、景色、人事，在句法上很有些变化。"计人凡七"以下是逐一叙述；"宫室器具凡九"以下，不说"钟一，鼓一"，而说"钟鼓各一"；"景凡七"以下分两组合计；"人事"则不先说明几样，先列举事项，最后才说"统为六"。 不但这样，有时连用字也有变化，如前面说"寺"，后面说"招提"；前面说"凭几"，后面说"隐几"；和尚用了三个不同的字："僧"、"衲"、"陀"。

4. 第七段列举六种人事和三种"态"，试在前面各段给它一个个指证出来。

5. 这篇文章的风格跟《口技》一样不一样？怎么不一样？

6. 本篇的描写看起来非常细密，然而有些个小毛病：（1）"东来"是"从东来"还是"往东来"？一个桃核上怎么定东南西北？（2）"对林"是"对着松林"还是"对面树林子里"？（3）星和月在天上，是怎么个雕刻法？（4）"景凡七"底下有一景是"灯火"，上文哪儿有灯火？（5）诗句明明是"夜半钟声"，为什么"人事"项下又说是"报晓"？

7. 把底下这些词语翻成现代语：（1）户内一僧……左右度之无不宜（认清"应门"和"延纳"的主语，可不一定要翻出来）；（2）叩钟者貌爽爽自得，睡足徐兴乃尔；（3）核侧出浮屠七级（注意翻成现代语就不能拿"出"当主要动词，比较《劈盗》篇"柜出大声"翻成现代语也得另用一个动词，把"出"字作为补足语）；（4）取诗……之句（诗句不翻）。

## 十 越谣歌

　　君乘车，我戴笠，
　　他日相逢下车揖。
　　君担簦，我跨马，
　　他日相逢为①君下。

**篇题**

　　这个歌谣出在晋朝周处的《风土记》，《风土记》已经失传，可是古书的注文中往往称引到。在这个歌谣之前，原来有一段小记，说越地民俗很朴直，彼此初交做朋友，设祭行礼，用这个歌谣作祝祷词。歌中表示结交之后，纵使将来境遇不同，交情还是依旧。谣歌：同于现在说"歌谣"，口头歌唱而没有乐谱的，也是诗歌的一类。

**音义**

　　【君】您。　【笠lì】箸帽。　【他日】将来。　【簦dēng】有柄的笠，仿佛现在的伞。担～，犹如说"掮伞"。

**古今语**

　　【乘】坐（车，船），今只～客。　【逢】遇着，今只～星期日，~单，~双。【揖】作~。

## 虚字

①一六五⑤

## 诗体略说

从前诗歌必须押韵（也叫压韵），现代诗才有不押韵的。押韵是这句与那句的末了用同韵母的字，以求念起来顺口。在这篇里，"笠"跟"揖"押韵，"马"跟"下"押韵。

押韵有一韵到底和换韵的分别。一韵到底是全篇押韵处都用同韵字。换韵是前几句押这个韵，后几句换押那个韵。在这篇里，"笠、揖"跟"马、下"不同韵，所以这一篇是换韵的诗歌。

"笠"跟"揖"的韵母固然相同（同是 i），但按照现代音念起来，"笠"是去声，"揖"是阴平，声调显然不同。原来"笠"跟"揖"古时都是念作入声的。

"马"上声（mǎ），"下"去声（xià），声调古今都不一致，为什么能够通押呢？这是古人的通融。可是以一般而论，也只有上声跟去声可以通押。平声跟上去声，平声跟入声，上去声跟入声，都不能通押。到后来用韵严格，连上声跟去声也不能通押了。

## 讨论及练习

1. "君乘车，我戴笠"与"君担簦，我跨马"全是假想"他日相逢"时候的情形。

2."乘车"、"跨马"表富贵,"戴笠"、"担簦"表贫贱,"下车揖"、"为君下"表交情不变。用具体的事物表达抽象的意思,是诗歌的惯例。试问这么办有什么好处?

3."下车揖"是"君下车揖","为君下"是"我为君下",念下去自然明白,并且有变化错综的趣味。

4.这个歌谣可以认作一个人陈说的口气,也可以认作两个人对答的口气。试问哪一说更好?为什么?

## 十一　邹　忌　战国策

邹忌脩八尺有余，而①形貌昳丽。朝服衣冠窥镜，谓其妻曰："我孰②与城北徐公美?"其妻曰："君美甚，徐公何能及君也③!"城北徐公，齐国之美丽者也。

忌不自信而④复问其妾，曰："吾孰与徐公美?"妾曰："徐公何能及君也!"

旦日，客从外来，与坐谈，问之："吾与徐公孰④美?"客曰："徐公不若⑤君之美也⑥。"

明日，徐公来，熟视之，自以为不如。窥镜而自视，又弗⑦如远甚。暮寝而思之，曰："吾妻之⑧美我者⑨，私我也⑩。妾之美我者，畏我也。客之美我者，欲有求于⑪我也。"

于是入朝见威王，曰："臣诚⑫知不如徐公美。臣之妻私臣，臣之妾畏臣，臣之客欲有求于臣，皆以⑬美于⑭徐公。今齐，地方千里，百二十城，宫妇左右莫⑮不私王，朝廷之臣莫不畏王，四境之内莫⑯不有求于王。由此观之，王之蔽甚矣⑰!"

王曰："善。"乃⑱下令："群臣吏民能面刺寡人之过者，受上赏。上书谏寡人者，受中赏。能谤讥于市朝，闻寡人之耳者，受下赏。"

## 作者及篇题

　　战国时代各国的辩士很多，关于他们的说话行事的记载流传到秦汉的不少。司马迁作《史记》的时候就采用了好些。西汉刘向收集了这类材料，分国编定，称为《战国策》。古代没有纸，写在竹片或木片上，单个的称为"简"，编在一块的称为"策"，又写做"册"。本篇出于《齐策》。

## 音义

　　【脩】长。（≡修。）现在普通话只说人多"高"，只有方言里还有说多"长"的。　【昳 yì 丽】漂亮。（昳≡逸，不单用。）【朝 zhāo】早起。"朝廷"的"朝"音 cháo。　【窥 kuī】不很自由地看。～镜，因为镜子小。因此～又常作偷看讲。

　　【旦日】明天。

　　【暮】晚上。

　　【威王】齐国的国君。　【臣】㊀～子；㊁君主时代人民对帝王自称。　【宫妇】王后宫女等。

　　【刺】指出。【寡人】古代国君自称，"寡德之人"。　【谏 jiàn】用劝说来阻止不好的举动。　【谤 bàng】攻击人家的过失。

## 古今语

　　【服】穿衣，今只㊄依～。　【窥镜】看镜子，今照镜子。

【熟】仔细，今只~悉。 【私】偏护。今只⑱。 【求】⑧
要~，今只⑩。

　　【朝】~廷。 【地】~方，领土。 【方】见~。 【左右】
在身边供使唤的人。 【四境】四边儿国界。 【观】看，今只~
察，旁~。 【蔽】蒙~，受蒙~。

　　【善】好，今只~良。 【令】命~。 【群】众，今只⑧~
众。 【面】当~，今只~谈。 【上】~等。 【上书】寄
信（给尊贵的人）。 【中】~等。 【讥】~讽，~笑。【市】
街~。 【下】~等。

## 虚字

　①七四㊀ 　②一五九㊂ 　③四五㊃ 　④一五九㊀ 　⑤一一四㊈
　⑥四五㊂ 　⑦六三㊀ 　⑧四九㊃ 　⑨一〇八㊅ 　⑩四五㊀
　⑪九五㊀ 　⑫一八〇㊀ 　⑬=以为 　⑭九五㊆ 　⑮一五七㊀
　⑯一五七㊀ 　⑰八四㊂ 　⑱四四㊂

## 语法

1. “美甚”跟“甚美”一样不一样？

2. 吾妻之美我者。（二二）

3. 私我也。（二一）

4. 面刺寡人之过。（一九）

5. 闻［于］寡人之耳，“闻”是被动意义，比较“见［于］《史
记》”。

107

6. 与 [ ] 坐谈。（三四）

## 讨论及练习

1. 为什么人们有时候不说实话？除这里所说的"私"、"畏"、"有所求"以外，还可能有些什么动机？

2. 人如何就受蒙蔽？如何才能不受蒙蔽？

3. 这一篇是战国时代人记下，汉朝人编定的，是真正的"古"文，可是外貌反而不及《核工记》古，这是什么道理？

4. 这一篇文章里有许多重复的地方：邹忌和他的太太一问一答，又和他的姨太太一问一答，又和客人一问一答，内容都相同；晚上想明白了这个道理，后来又对齐威王说明这个道理，内容也相同——作者怎么样在相同之中求变化？

5. 一个人怎么高也不会高"八尺有余"。要知道周尺只合现在的尺的七寸光景。一切度量衡单位，尽管名称没有改，古时候跟现在的真实价值不一定相同。

6. 称明天为"旦日"，很有意思。"旦"的本义是早晨，字形就像太阳出于地面之上；在晚上说话，早晨跟明天是一个意思。同样，"明"是亮，在晚上说天亮，也就是明天。德语明天跟早晨是一个字，英语的 morrow（今加 to-）跟 morning 也是一个根。

7. 把末了两段翻成现代语。

8. 模仿底下的词语造句：（1）吾妻之美我者，私我也；（2）吾孰与徐公美？（3）朝廷之臣莫不畏王。

## 十二　綦崇礼　洪迈

綦叔厚尚书（崇礼）登第后傲马出谒。道过一坊曲，适与①卖药翁相②值。药架甚华楚，下列白陶缶数十，陈熟药其中，盖③新洁饰而出者。马惊触之，翁仆地，缶碎者几④半。

綦下马愧谢。翁市井人也，轻而倨，问所从来。捽其裾，数而责之，曰："君在此尝见太师出入乎？从者唱呼以⑤百数，街卒持杖前诃，两岸坐者皆起立，行人望尘敛避。亦尝见大尹出乎？武士、狱卒，传呼相衔，吾曹见其节，奔走不暇。今君独⑥跨敝马子才而⑦来，使我何⑧由相⑨避？"

凡⑩侮诮数百言。恶少观者如堵。

綦素有谐癖，不为⑪动色，徐徐对之曰："翁责我甚当，我罪多矣⑫。为马所⑬累，顾⑭无可奈⑮何。然⑯人生富贵自有时。我岂⑰不愿为宰相？岂不愿为大尹？但方⑱得一官，何敢觊望？翁不见井子刘家药肆乎？高门赫然，正面大屋七间。吾虽不善骑，必不至⑲单马撞入，误触器物也。"

恶少皆大笑称善。翁亦羞沮，以俚语谓綦曰："也得，也得。"遂释之。

井子者<sup>⑳</sup>，刘氏所居，京师大药肆也。故<sup>㉑</sup>綦用以<sup>㉒</sup>为<sup>㉓</sup>答。

## 作者及篇题

洪迈，南宋鄱阳人。父皓，兄适（kuò）、遵都很有名。迈，高宗时进士，孝宗时官至端明殿学士。曾出使金国。博学多才，所著书以《容斋随笔》和《夷坚志》最为有名。这一篇就在《夷坚志》里。（夷坚见《列子》，是古代传说中的博物学者。）綦（qí）崇礼，字叔厚，宋徽宗时中上舍第，高宗时官至宝文阁直学士。《宋史》称他"妙龄秀发，聪敏过人"。

## 音义

【登第】考试及格。考试分别第几等，第几名，所以称考试及格为～～。　【僦 jiù】租。　【谒 yè】进见，拜客，尤指进见年辈或地位较高者。　【坊曲】胡同，巷子。　【适】恰恰。【值】遇见。　【白陶】瓷器。陶：瓦器，今只陶器。　【缶 fǒu】瓦罐。　【熟药】膏子药、末药等。　【仆 pū】跌倒。

【市井】街市。～～人，粗俗无修养的人。　【倨 jù】傲慢，不客气。　【捽 zuó】拉。　【裾 jū】衣襟。　【太师】古代的很尊贵的官。这里大概指当时的宰相蔡京。　【从 cóng 者】跟班，卫兵。　【街卒】地面上的公役，如今警察。　【诃 hē】大声叫唤，禁止别人行动。　【望尘】望见车马脚下飞起的尘土。　【敛避】躲开。敛（liǎn）：约束。　【大尹】府尹。历代京都所在的知府官品位特高，称府尹，如现在的市长。 【狱卒】管牢房的，这儿也许只指衙门里的伺候审官司的公役，从前所谓"皂班"。 【传呼】～～之声，这个叫唤那个应和的声音。 【曹】辈，们。 【节】仪仗。 【不暇】来不及。 【敝 bì】疲弱。【孑 jié 孑】孤零零地。

【恶少】游手好闲的年轻人，≠做坏事的年轻人。

【谐 xié】诙～，玩笑。 【觊 jì】指望。 【肆】铺子。【赫然】显明，引人注目。

【沮 jǔ】～丧，失望。 【俚语】俗话。


## 古今语

【翁】㊀老头儿，今只老～；㊁（对话用）你老人家。【华】～丽。 【楚】或～～，鲜明，今只清～。 【列】排～。【陈】～列。 【饰】刷洗干净，≠装饰。

【愧】惭～。 【谢】道歉，≠道谢。 【轻 qīng】～佻。【责】～备。 【唱】叫，≠～歌。 【杖】棍子，今只手～。【两岸】两边，今只指水的两边。 【武士】这里指卫兵。【衔】～接。

【侮 wǔ】～辱。 【诮 qiào】讥笑，今只讥～。 【数百言】几百个字。 【堵】墙。今只单位词，一～墙。

【素】～来。 【当】得～，对。 【累】连～。 【时】～机。 【愿】～意。 【骑】～马。 【器物】用物器具。

【称善】叫好。 【也得】也罢。 【释】放开，今只～放。

【京师】京都，首都。这里指开封，北宋的都城。

## 虚字

①一七七⊜　②一一九⊖　③一八一⊖　④一六一⊖

⑤六一⊜　⑥一九〇⊜　⑦七四⊜　⑧八三⊜　⑨一一九⊜

⑩四七⊜　⑪一六五⊗　⑫八四⊜　⑬九四⊜　⑭一九七⊜

⑮一〇七⊜乙　⑯一六四⑤　⑰一三三⊖　⑱五二⊜

⑲七六⊜　⑳一〇八⑤　㉑一一三⊖　㉒六一⊖　㉓一六五⊜

## 语法

1. 道过一坊曲；道逢乡里人。（一九）

2. 洁饰而出。（二一）

3. 翁仆 [于] 地。（四〇）

4. 缶碎者几半；群臣吏民能面刺寡人之过者受上赏。（比较
一〇八⊖末例。）

5. 从者唱呼以百数；每年所得书以千计。

6. 用以为答，用以陈熟药，举以相赠。（＝拿来……）

7. 与卖药翁相值；与季弟相偕入都；与女相约不嫁娶。（在
现代语里都不必用"相"，第一例甚至不必用"和"或"跟"。）

8. 使我何由相避＝避君；儿童相见不相识＝见我不识我。
（"相"字都偏指一方。）

## 讨论及练习

1. 本篇和前篇一样，都是故事的体裁而以言语为中心。邹

忌跟城北徐公比赛美貌，也许全是他造出来，藉此讽劝齐王纳谏的，那么他就算得个会说话的了。綦崇礼也会说话，卖药的老头儿骂他，他不生气，他只把老头儿挖苦他的话套用了来挖苦老头儿，这叫做"即以其人之道还制其人之身"，老头儿当然再无话可说。说话也是一种艺术，可决不能误会只有轻嘴薄舌才算会说话，像那卖药的老头儿何尝不自以为会说话？

2. 《夷坚志》也是笔记，可是这一篇足够表示这部笔记的文章风格跟《世说新语》和《梦溪笔谈》不一样，容纳口语成分较少（连"撞入"也是见于《汉书》的成语），但是跟蓄意要做"古文"的文章毕竟不同。

3. 本篇开头说明是綦叔厚，以后四次提到他都只称他的姓。秦汉文中称及上文已经见过的人，只称名，不称姓。魏晋以后又有单称姓的办法（比较《王蓝田》篇称谢奕为谢）。后世文言两种办法都用，但是古文家偏向于称名。

4. 把第二段翻成现代语。

5. 应用底下这些字造句：（1）盖；（2）顾；（3）岂。

## 十三　图　画　蔡元培

吾人视觉之所得，皆面也，赖肤觉之助，而后见为体。建筑，雕刻，体面互见之美术也。其①有舍体而取面，而于面之中仍含有体之感觉者，为图画。

体之感觉何自起？曰，起于远近之比例，明暗之掩映。西人更②益以③绘影写光之法，而景状益④近于自然。

图画之内容：曰⑤人，曰动物，曰植物，曰宫室，曰山水，曰宗教，曰历史，曰风俗。既⑥视建筑雕刻为繁复，而又含有音乐及诗歌之意味，故⑦感人尤深。

图画之设色者，用水彩，中外所同也⑧。而西人更②有油画，始于"文艺中兴"时代之意大利，迄今盛行。其⑨不设色者：曰水墨，以墨笔为浓淡之烘染者也；曰白描，以细笔勾勒形廓者也。不设色之画，其感人也，纯以形式及笔势。设色之画，其感人也，于形式笔势以外兼用激刺。

中国画家自临摹旧作入手。西洋画家自描写实物入手。故中国之画，自肖像而外，多以意构。虽⑩名山水之图，亦多以记忆所得者为之。西人之画，则⑪人物必有概范，山水必有实景。虽⑩理想派之作，亦先有所本，乃⑫

增损而润色之。

中国之画与书法为缘，而多含文学之趣味。西人之画与建筑雕刻为缘，而佐以⑫科学之观察，哲学之思想。故中国之画以气韵胜，善画者多工书而能诗。西人之画以技能及义蕴胜，善画者或⑬兼建筑、雕刻二术，而图画之发达常与科学及哲学相随焉⑭。

中国之图画术托始于虞夏，备于唐，而极盛于宋。其后为之者较少，而⑮名家亦复⑯辈出。西洋之图画术托始于希腊，发展于十四、十五世纪，极盛于十六世纪。近三世纪则⑰学校大备，画人夥颐，而⑱标新领异之才亦时出于其间焉⑭。

## 作者及篇题

蔡元培（一八五七——一九四〇），字鹤廎，一字孑民，浙江省绍兴县人，教育家。民国初年任教育总长，后来任北京大学校长，大学院院长，中央研究院院长。著作有《中国伦理学史》、《石头记索隐》等。他的单篇文字和演说词大部分收在新潮社出版的《蔡孑民先生言行录》里。这一篇见于《言行录》，是《华工学校讲义》的一篇。第一次世界大战的时候，中国人去法国做工的很多，蔡元培和李石曾等办了个华工学校给他们补习，蔡元培亲自编了四十篇讲义，德育三十篇，智育十篇。

## 音义

【肤觉】触觉。　【舍】放弃。（≡捨。）

【映 yìng】照，反照。　【益】加。　【绘 huì】画。

【视】比。　【雕】原文用"彫"，古语彫≡雕。

【文艺中兴】Renaissance 的译名，现在通用"文艺复兴"。
【迄 qì】到。　【烘染】烘托和渲染。

【肖像】人像。　【意构】想象。　【概范】模型，模特儿。
【本】根据。　【损】减。　【润色】修饰。

【与……为缘】跟……有连带关系。缘：因～。　【佐 zuǒ】
辅助。　【气韵】中国的书画都讲究～～，这两个字很难解释，
勉强可说是超出形象之上的一种风趣。　【胜】出色，见长。
【工】擅长。　【义蕴】含蓄在里边的意义。　蕴（yùn）：含蓄。

【托始】起源。　【辈出】一起一起的出来。　【夥颐 yí】极
多。　【标新领异】开创新的作风。标领：高出于众人。


## 古今语

【吾人】我们。　【面】平～。　【赖】依～。　【助】帮～。
【体】立～。　【互见】都有。见＝可～。互≠～相。

【掩】遮盖，今只～护。　【写】画，今只～生。

【感】～动。

【设色】上颜色。设＝施。　【中外】～国～国。　【廓 kuò】
轮～。　【激刺】刺激。

【旧作】从前人的作品。　【增】～加。

【书】写字，今只～法，～画。　【术】技～。

【备】具～，完～。　【画人】～家。

**虚字**

　①九二④　②八六〇　③六一〇　④一三九　⑤五七

　⑥一五四〇　⑦一一三〇　⑧四五〇 = 此……也。

　⑨九二④ = 图画之。　⑩一九一〇　⑪一〇九④　⑫四四④

　⑬一〇五⑤　⑭一五八⑤　⑮七四〇　⑯一六九〇　⑰七四〇


**语法**

　1. 赖肤觉之助，而后见为体；其有舍体而取面……者，为图画；视建筑雕刻为繁复；以墨笔为浓淡之烘染；多以记忆所得者为之；其后为之者较少。这些"为"字哪些个讲"是"，哪些个讲"做"？

　2. 于形式笔势以外；自肖像而外。

　3. 图画之发达常与科学及哲学相随；适与卖药翁相值。

　4. 本篇有几个"而"字？其中有几个是导言七四节〇项的用法？


**讨论及练习**

　1. 这一篇是纯粹的说明文，这是很不容易写好的一种文体。本文分七段：一和二，图画在美术中的特性：在平面上给人立体的感觉；三，图画的题材；四，图画的介质：色彩和线条；五，中西图画的比较一：写意和写实；六，中西图画的比较二：与其他学艺的联系；七，中西图画的历史。虽然只有五六百字，

117

已经把图画的各方面都说到，简单而扼要，是说明文的模范。

2. 关于图画，你觉得还有什么事项作者没有提到？

3. 本文多用对比的方法，试逐一指明。

4. 把第五段和第六段翻成现代语。

5. 模仿底下的词语的用法造句：（1）既视建筑雕刻为繁复，而又含有音乐及诗歌之意味；（2）西人更益以绘影写光之法，而景状益近于自然；（3）虽名山水之图，亦多以记忆所得者为之；（4）西人之画，则人物必有概范，山水必有实景。

## 十四 装 饰 蔡元培

装饰者，最普通之美术也。其所取之材，曰石类，曰金类，曰陶土，此取诸[①]矿物者也；曰木，曰草，曰藤，曰棉，曰麻，曰果核，曰漆，此取诸植物者也；曰介，曰角，曰骨，曰牙，曰皮，曰毛羽，曰丝，此取诸动物者也。其所施之技，曰刻，曰铸，曰陶，曰镶，曰编，曰织，曰绣，曰绘。其所写像者，曰几何学之线面，曰动植物及人类之形状，曰神话宗教及社会之事变。其所附丽者，曰身体，曰被服，曰器用，曰宫室，曰都市。

身体之装饰，一曰文身，二曰亏体。文身之饰，或绘或刺，为未开化时代所常有。我国今惟[②]演剧时或[③]以粉墨涂面；而[④]臂上花绣，则[⑤]惟我国之拳棒家，外国之航海家，间或有之。亏体之饰，如野蛮人穿鼻悬环、凿唇安木之属。我国妇女旧有缠足穿耳之习，亦其类也。

被服之装饰，如冠、服、带、佩，及一切金、钻、珠、玉之饰皆是。近世文明民族已日趋简素，惟[②]帝王、贵族及军人犹[⑥]有特别之制服，而[④]妇女冠服尚[⑦]喜翻新。巴黎新式女服常为全欧模范；德法开战以后，德政府尝欲创日耳曼式以[⑧]代之，德之妇女未能从焉[⑨]。

器用之装饰，大之如坐卧具，小之如陈设品，皆是。我国如商周之钟鼎，汉之炉镜，宋以后之瓷器，皆其选也。

宫室之装饰，如檐楣柱头，多有刻文；承尘及壁，或⑨施绘画；集色彩之玻板以⑧为窗，缀斑驳之石片以⑨敷地，皆是。其他若窗幕地毡之类，亦附属之。

都市之装饰，如《考工记》"匠人营国，方九里，旁三门，国中九经九纬，经涂九轨"，所⑩以求均称而表庄严也。巴黎一市，揽森河左右，纬以⑪长桥，界为驰道，间以广场，文以崇闳之建筑，疏以广大之园林，积渐布置，蔚成大观。而⑪驰道之旁，荫以列树，芬以花塍；广场及公园之中，古木杂花，喷泉造像，分合错综，悉具意匠。是皆所⑩以餍公众之美感，而⑪非一人一家之所得⑫而私也。

由是观之，人智进步，则⑬装饰之道渐异其范围。身体之装饰为未开化时代所尚，都市之装饰则⑤非文化发达之国不能注意。由近而⑭远，由私而公，可以观世运矣。

## 音义

【介】硬壳，如贝壳。 【陶】烧陶器。 【写像】描画。【附丽】附着。 【被服】穿戴，穿的戴的。

【文身】在身上画画儿或刺花。 【粉墨】粉和墨一白一黑，连在一起代表一切颜料。

【佩】挂在身上。　【德法开战】指第一次世界大战。

【钟鼎】古代的两种铜器，习惯上用来代表一切古代铜器。

【檐楣 méi】梁木露出在房檐底下的部分。　【承尘】天花板。承：受。　【施】加以。　【色彩之玻板】五彩的玻璃片。（通常拼成人物故事画，英语称为 stained glass，西方教堂及公共建筑的窗户常用之。）　【缀 zhuì】联结。　【斑驳之石片】各种颜色的石片儿。（通常拼成几何图形，英语称为 mosaic，这种装饰起源于罗马，利用现成的大理石和玻璃片，现代的花砖就是模仿这个。）"斑"跟"驳"都是颜色夹杂的意思。

【《考工记》】战国时人作，叙述各种工程技艺，汉人把它收在《周礼》里边。　【经涂九轨】大路容得下九辆车子。经包括上句的经和纬。涂≡塗，途。　【森河】（Seine）一般译写赛茵河。　【驰道】马路。（秦始皇造"驰道"贯通国内要地，阔五十步，每三丈种一棵树，很像现在的公路。）　【间 jiàn】夹，隔。　【文】装饰，点缀。　【闳 hóng】大。　【疏】隔开，使（房屋）不密集。　【蔚 wèi】繁盛。　【大观】伟大的景象。　【荫 yìn】遮阴，从⽊树阴。　【列树】成行的树。（比较"列车"。）【芬】使有香气，从⽊香气。【花塍】～圃。塍（chéng）：田的分块。　【造象】雕刻的人像。　【错综】交杂。　【意匠】巧妙的心思。　【餍 yàn】满足。

【尚】崇～，看重。　【世运】时代的变动（进步）。

## 古今语

【器用】器具和器物。

【亏】损失一部分，今只~本。 【花绣】~纹。 【悬】挂。今只~空，~赏，~案。 【习】~惯。

【带】名。 【钻 zuàn】~石，金刚~。 【近世】近代。【趋】~向。 【简】~单。 【素】朴~。 【创】~造。【从】服~，依~。

【炉】香~。 【选】名代表。

【檐】房~。 【刻文】雕刻花纹。 【壁】墙~。 【敷】铺。今只~药。 【窗幕】窗帘儿。 【地毡】地毯。

【营】~造。 【国】城，≠~家。 【经纬】直道儿，横道儿，今只~~线。 【轨】车道，今只~道。 【表】~示。【界】划，从名引申。 【崇】高，今只~高（用于抽象事物）。【积渐】逐渐。 【古木】老树。 【私】据为己有。

【智】知识和见解。 【装饰之道】装饰这个艺术。【异】变动，从形不同。

## 虚字

① 一八九㊀ ② 一四九㊀ ③ 一〇五㊂ ④ 七四㊀

⑤ 一〇九㊃ ⑥ 一六八㊀ ⑦ 一〇二㊀ ⑧ 六一㊀

⑨ 一五八㊄ ⑩ 九四㊆乙 ⑪ 六一㊀ ⑫ 得而 = 得。

⑬ 一〇九㊀ ⑭ 七四㊃

## 语法

1. 臂上花绣，则惟我国之拳棒家，外国之航海家，间或有之。(之＝臂上花绣。)

2. 大之如坐卧具，小之如陈设品；远之如拿破仑，近之如希特勒，皆以侵略而失败。(大之＝大而言之。)比较：大而坐卧具，小而陈设品；远而拿破仑，近而希特勒。

3. 纬 [之] 以长桥；文 [之] 以崇阂之建筑；疏 [之] 以广大之园林；荫 [之] 以列树；芬 [之] 以花塍。(三七)

## 讨论及练习

1. 本篇也是说明文，但全篇的结构跟上一篇不同。第一段总说装饰之（1）所取之材，（2）所施之技，（3）所写之象，（4）所附之体，第二段以下就单拿所附之体来分类举例，最后表示一点意见，从装饰的范围观文明的进步。形式比上一篇简单些也呆板些。这是作者认为这四个方面之中只有这一个方面值得细说。换了一个作者，或是换了一种读者，这篇文章又可以有另一种写法。

2. 把第六段翻成现代语。

3. 模仿底下的词语造句：（1）曰……曰……；（2）被服之装饰，如……皆是；（3）大之……小之……；（4）荫以列树，芬以花塍；（5）……所以求均称而表庄严也。

4. 指出本篇里边的平行句和对偶句。

## 十五　陌上桑

日出东南隅，照我秦氏楼。

秦氏有好女，自名为罗敷。

罗敷善蚕桑，采桑城南隅，

青丝为笼系，桂枝为笼钩，

头上倭堕髻，耳中明月珠，

缃绮为下裙，紫绮为上襦。

行者见罗敷，下担捋髭须。

少年见罗敷，脱帽著帩头。

耕者忘其犁，锄者忘其锄，

来归相怨怒，但①坐观罗敷。


使君从南来，五马立踟蹰。

使君遣吏往，问是谁家姝。

"秦氏有好女，自名为罗敷。"

"罗敷年几何？"

"二十尚不足，十五颇有余。"

使君谢罗敷，"宁②可共载不③？"

罗敷前致词，"使君一何④愚！

124

使君自有妇，罗敷自有夫。

东方千余骑，夫婿居上头。
何用⑥识夫婿？白马从骊驹，
青丝系马尾，黄金络马头，
腰中鹿卢剑，可值千万余。
十五府小史，二十朝大夫，
三十侍中郎，四十专城居。
为人洁白皙，鬑鬑颇有须，
盈盈公府步，冉冉府中趋。
坐中数千人，皆言夫婿殊。"

## 篇题

　　这一首乐府不知是谁所作，大概是东汉的作品，保存在历代
的选本里。分为三个段落是原来的分法，按照音乐的段落分的。
篇中叙罗敷陌上采桑，与使君对答的故事。

## 音义

　　【系】系筐子的绳子。　【倭堕髻 wō duò jì】梳得像一朵朵
云彩似的髻。　【缃 xiāng】浅黄色。　【绮 qǐ】有花纹的绸
子。　【襦 rú】短袄。　【捋 lǚ】摸。　【髭须 zī xū】古时对于
各部分的胡子有不同的名称，嘴唇上边的叫"髭"，下巴底下的
叫"须"，两边的连腮胡子叫"髯"(rán)。　【帩 qiào 头】包头

125

发的帕子。【畊】≡耕。　【坐】为了。

　　【使君】汉朝对于州郡长官的尊称。　【五马】汉朝一般官吏的车子只用四匹马拉，只有太守（郡的长官）出行用五匹马。【踟蹰 chí chú】徘徊。　【姝 shū】美貌女子。　【颇】稍微，≠很。　【谢】告，对……说。　【载】坐车。　【不 fǒu】否。　【致词】说话。

　　【骊 lí】纯黑的（马）。　【驹 jū】少壮的马。　【鹿卢剑】剑把上用玉雕成井鹿卢形，这种形制的剑都是长的。鹿卢≡辘轳。　【小史】小吏。　【大夫】汉朝的高等文官有好些是称～～的，如御史～～等。　【侍中郎】侍从皇帝的官。　【专城居】为一城之主。古代称太守为"专城"。　【皙 xī】（皮色）白净。【鬑 lián 鬑】形容须发的长。　【盈盈】漂漂亮亮的。　【公府】三公之府，最高贵的官署。　【冉 rǎn 冉】不慌不忙的。


## 古今语

　　【氏】家。今只张氏，王张氏（女了），梁（启超）氏，邱（吉尔）氏（名人）。　【名】⑩叫做，今只⑧。　【蚕桑】养蚕。养蚕必须种桑，所以两字常连在一块儿说。　【笼】盛桑叶的筐子。　【桂枝】肉桂树的枝子，≠桂花树（正式名字是木犀）。　【下担】放～～子。　【著】穿（衣）戴（帽）。（≡着。）　【锄】刨地。　【来归】回家。　【怨】抱～。

　　【几何】多少。　【妇】妻，今只夫～。

　　【骑 jì】骑马的。　【夫婿】妻称夫。　【居】在，今只～

126

中。【识】认～。【络 luò】套，从⊗马笼头。今只 lào ⊗～子（网袋）。【府】官署，≠宋以后的地方区域。【为人】说一个人的容貌或性格都可用～～起头，这里说容貌。现代只用于性格。【趋】走。本义是快快地走。今只～势。【殊】出色，今只特～。

## 虚字

① 八八㊀  ② 一七八㊃  ③ 九一㊀  ④ 四三㊁  ⑤ 六六㊀

## 语法

1. 锄者忘其锄。（词性）

2. 日出〔于〕东南隅；采桑〔于〕城南隅。（四〇）

3. 白马从骊驹，到底是黑马在前还是白马在前？换句话说，"从"字是主动的意义还是被动的意义？现代语的"跟着"有没有类似的用法？

## 诗体略说

这篇一韵到底。按照现代音念起来，所有押韵字分属平声 ü、u、ou 三韵，并不同韵。按《广韵》，这些字大多数字在虞韵，"楼"、"钩"、"头"三字在侯韵，"锄"、"余"、"居"三字在鱼韵，"不"在尤韵。虞韵和侯韵在上古同属一部。至于鱼韵，虽然上古另为一部，《广韵》也把它分开，事实上汉魏以来就有跟虞韵混淆的趋势。"不"字在这首诗里也许不读"否"的平声而读如今"弗"的平声。

大多数诗歌在双数句末了押韵，可是第一句末了就押韵的也很多，如这篇第一句"隅"字就是。第一句押了韵，吟诵起来有个预期，再念第二句，到押韵那个字更有和谐之感。如果是换韵的诗，在单数句末了往往就换了韵，然后双数句末了跟那单数句末了同韵，也是同样的道理。

篇中一字重押的很多，最多是"敷"字，押了六回。可见这篇乐府出于民间，并非文人之作。近体诗中一字不得重押，但民间歌人是不大管这一套的，现在也还是如此。

第二段第四行"罗敷年几何？"只有一句，"何"字并不押韵，这也是民间歌人的自由处。如果由文人写来，这问话大概要化成两句，而且下一句非押韵不可了。


## 讨论及练习

1. 这篇乐府很像现在北方的"大鼓书"或苏沪的"弹词"，说书人的唱词有时用自己叙说的口气，有时就用书中人物的口气。第一行"照我秦氏楼"等于说"照到咱们秦家的楼房"，把唱的人、听的人跟罗敷打成一片，觉得特别亲切。

2. 作者详叙罗敷的打扮，连桑叶筐子也不放过，什么用意？又叙"行者"、"少年"、"畊者"、"锄者"看罗敷的情形，什么用意？罗敷口中详叙夫婿的乘骑、佩剑、官阶、容态，什么用意？

3. 使君遣吏去问，是不是向罗敷问？"秦氏有好女，自名为罗敷"跟"二十尚不足，十五颇有余"是不是罗敷的回答？

4. "耳中"、"腰中"两个"中"字用法相同,跟现代语的"里边"相当不相当?

5. 使君要罗敷"共载"是什么意思?

6. "可值千万余",古代计算钱,常用"百"和"万"做单位,唐宋以后才拿"千"做单位。

7. "采桑城南隅",是不是真的在城南?"东方千余骑",是不是真的在东方?真的一千多个骑马的?

## 十六　瑠璃瓶　洪迈

徽宗尝以北流离胆瓶十付小珰，使命匠范金托其里。珰持示苑匠。皆束手曰："真金于中，当用铁篦熨烙之，乃妥贴。而是器窄不能容，又脆薄不堪手触，必治之，且破碎。宁获罪，不敢为也。"珰知不可强，漫贮箧中。

他日行廛间，见锡工钿陶器精甚。试以一授之，曰："为我托里。"工不复拟议，但约明旦来取。至则已毕。

珰曰："吾观汝伎能绝出禁苑诸人右，顾屈居此，得非以贫累乎？"因以实谂之。

答曰："易事耳。"

珰即与俱入而奏其事。上亦欲亲阅视，为之幸后苑。悉呼众金工列庭下，一一询之，皆如昨说。

锡工者独前，取金煅冶薄如纸，举而裹瓶外。众咄曰："若然，谁不能？固知汝俗工，何足办此！"

其人笑不应。俄剥所裹者押于银箸上，插瓶中，稍稍实以汞，撺瓶口，左右颒捅之。良久，金附著满中，了无罅隙。徐以爪甲匀其上而已。众始愕眙相视。

其人奏言："瑠璃为器，岂复容坚物柤触？独水银柔而重，徐入而不伤，虽其性必蚀金，然非目所睹处，无害

130

也。"

上大喜，厚赍赐遣之。

## 作者及篇题

洪迈，见第十二课《綦崇礼》注。瑠璃（liú lí）：用某几种矿石烧成的陶器，颜色不一。（≡琉璃，流离。）古人又借"瑠璃"称玻璃，这里就指玻璃。瓶，原文为瓶，古文中瓶≡瓶。

## 音义

【徽宗】北宋末了第二个皇帝，他在位二十五年（一一〇一——一一二五）。 【北流离】从北方来的玻璃器。 【胆瓶】长颈大腹的瓶子，形如胆囊。 【小珰 dāng】～太监。（珰是宫中太监的帽子上的饰物，金制，因此称太监为"珰"。） 【范】熔化金属，铸成模子。 【示】给……看。 【苑 yuàn 匠】宫苑（王宫）中的工匠。 【束手】动不来手，没有办法。 【寘 zhì】安放。（≡置。） 【篦 bì】烙铁之类，形制不详。 【熨烙 yùnlào】烘烫。 【不堪】禁不起。 【治】做某项工作。【且】将要。 【强 qiǎng】勉～。 【漫】随便，不经意。 【篋 qiè】小箱子。

【廛 chán】店铺。 【釦 kòu】用金属饰器口。 【拟议】讨论，说起些什么。

【伎】≡技。 【出……右】超过，在……上（古来以右首为上位）。 【禁苑】帝王宫中。 【屈】委～。 【得非……乎】莫非……吗（推想的语气）。 【以实谂之】把托玻璃瓶的事情告诉他。谂（shěn）：告诉。

【奏 zòu】告诉（限于对皇帝）。 【上】皇～。 【幸】到（限于皇帝）。 【悉】尽。 【询 xún】问。

【煅冶 duàn yě】加热捶打。 【俗工】寻常工匠。 【咄 duō】呵叱声，⑨呵叱。

【俄】一会儿。 【押 yā】扣着。 【箸 zhù】筷子。 【实】装进去。 【汞 gǒng】水银。 【揜 yǎn】盖没。（＝掩。） 【潦洞 hòng dòng】摇动（容器中的液体）。 【了】全然（限用于"了无"、"了不"）。 【罅 xià】裂缝。 【徐】～～，慢慢的。 【爪甲】指～。 【愕 è】诧异。 【眙 chì】瞪眼。

【枨 chéng 触】磕碰。 【蚀 shí】侵～，溶解。

【赉 lài 赐】赏赐。 【遣】送走。


**语法**

1. 必治之。（比较：言必信，行必果。）

2. 必治之，且破碎。（比较：其人聪慧，且勤于学，故有佳绩；一刻且不可懈，况久荒乎？）

3. 锡工者独前。

4. 徽宗尝以北流离胆瓶十付小珰；试以一授之。

5. 瑠璃为器。（同类例：汞之为物；范金为事。）

6. 漫贮 [ ] 篚中；珰即与 [ ] 俱入；举 [ ] 而裹 [ ] 瓶外；固知汝 [ ] 俗工。

**讨论及练习**

1．"是器窄不能容"（容什么?）；"以实谂之"（"实"是什么?）；"玱即与俱入而奏其事"（入哪里?）；"为之幸后苑"（"之"指什么?）。

2．"又脆薄不堪手触"；"且破碎"；"顾屈居此"。（标出的字可以换用什么字?）

3．"其人奏言"以下针对苑匠的整段话，"岂复容坚物桄触"针对"当用铁箆熨烙之"，前后对照，见得苑匠是无法可施，锡工却能随机应变。

4．"易事耳"一语非常之简，有好处。什么好处?"众始愕眙相视"一语也可以不说，但不说有缺点。什么缺点?

## 十七　书蒲永昇画后　苏轼

古今画水多作平远细皱。其善者不过能为波头起伏，使人至以手扪之，谓有洼隆，以为至妙矣。然其品格，特与印版水纸争工拙于毫厘间耳。

唐广明中，处士孙位始出新意，画奔湍巨浪，与山石曲折，随物赋形，尽水之变，号称神逸。其后蜀人黄筌孙知微皆得其笔法。

始知微欲于大慈寺寿宁院壁作湖滩水石四堵，营度经岁，终不肯下笔。一日，仓皇入寺，索笔墨甚急，奋袂如风，须臾而成，作输泻跳蹙之势，汹汹欲崩屋也。知微既死，笔法中绝五十余年。

近岁成都人蒲永昇，嗜酒放浪，性与画会，始作活水，得二孙本意，自黄居寀兄弟李怀衮之流皆不及也。王公富人或以势力使之，永昇辄嘻笑舍去。遇其欲画，不择贵贱，顷刻而成。尝与余临寿宁院水，作二十四幅。每夏日挂之高堂素壁，即阴风袭人，毛发为立。永昇今老矣，画亦难得，而世之识真者亦少。如往时董羽，近日常州戚氏画水，世或传宝之。如董戚之流，可谓死水，未可与永昇同年而语也。

元丰三年十二月十八日夜，黄州临皋亭西斋戏书。

## 作者及篇题

苏轼，宋眉山人，字子瞻，号东坡，文学大家。与父洵弟辙并称[三苏]。著有《东坡全集》和经说笔记数种。这一篇见《东坡全集》。

## 音义

【平远细皱】平远就取景说；细皱就画法说。 【至】甚～于。 【扪 mén】摸。 【洼 wā 隆】高低。洼是低，隆是高，习惯上不作"隆洼"，犹如现代语习惯上不说"低高"。 【特】但。 【争工拙于毫厘间】不相上下。工拙（zhuō）：技术的好跟不好。毫厘：很小的数量。所差这么细微，换句话说，就是不相上下了。

【广明】唐僖宗年号（八八〇年）。这个年号只用了一年，下一年就改号中和，大概作者所见孙位画水正题着这一年。 【处士】不从政不做官的人。 【孙位】东越人，最善于画水，画松石墨竹也精妙。 【与山石曲折】水流随着山石的形势而曲折。【随物赋形】水本身没有形状，随着碰到的东西（如山石）而得到它的形状。赋：受，得。 【神逸】人家对于孙位的作品的品评。神是得神，逸是超脱，也就是不同凡俗。 【黄筌 quán】五代前蜀成都人，画山水花鸟竹石都精。 【孙知微】宋彭山人。从前人评他的画为"逸格"，有意外之趣。

【始】也可用"初"字，放在一段叙述的开头，表示从头叙起。　【堵 dǔ】墙壁的单位，两柱之间的墙壁为一～。　【营度 duó】计划。　【仓皇】急急忙忙。　【奋袂 mèi】动笔。袂是衣袖。笔执在手里，手从衣袖伸出，说～～使人想见作画时的神态。　【须臾 yú】一会儿。(臾≠叟。)　【输泻】冲泻，形容水势。　【跳蹙 cù】激荡涌起，也是形容水势。　【汹 xiōng 汹】波浪的声音。

【放浪】无拘无束(形貌，语言，行动)。　【会】适合。【自……之流】虽……一辈人(以及其余的人)。　【黄居寀兄弟】黄居实、黄居宝、黄居寀(cǎi)都是黄筌的儿子，都善于作画。批评家以为居寀所画怪石山水往往胜过他的父亲。　【李怀衮 gǔn】宋蜀郡人。画学黄筌。　【势力】权～跟财～。【舍去】离开。　【贵贱】指请他作画的人。　【与余】给我。【临】摹写(字，画)。　【袭人】迫～。　【立】直竖。　【董羽】宋毗陵人，善画龙水、海鱼。　【常州戚氏】戚名文秀，也善于画水。　【传宝之】传观他们的作品，以为宝物。　【同年而语】相提并论。还有"同日而语"，义同。

【元丰】宋神宗年号，三年当公元一〇八〇年。　【黄州】现在湖北省黄冈县。苏轼与王安石政见不合，被王党指摘，说他文字中有诽谤君上的意思，于是下狱，后来贬为黄州团练副使。他到了黄州辟地自耕，筑雪堂，有时居雪堂，有时居临皋亭。【戏书】表示这是乘兴随笔，不算正式文章。

## 语法

1. 知微欲于大慈寺……；汹汹欲崩屋也；遇其欲画。

2. 王公富人或以势力使之；世或传宝之。

3. 与山石曲折；尝与余临寿宁院水。

4. 使人至以手扪之；以为至妙矣。

5. 未可与永昇同年而语；不得与……同日而语（都限于否定句，不得作"试以某某二者同年而语"）。

6. 遇其欲画 [ ]；每夏日挂之 [ ] 高堂素壁；毛发为 [ ] 立；永昇今老矣，[ ] 画亦难得。

## 讨论及练习

1. 作者说永昇"始作活水"；董羽戚氏画的是死水，对于孙位黄筌孙知微的画没有判断，试想他心意中认为是死还是活？（"笔法中绝五十余年"。）

2. 孙知微"营度经岁，终不肯下笔"，到那一天却"须臾而成"。蒲永昇也在"欲画"的时候"顷刻而成"。这是什么缘故？

3. "永昇今老矣，画亦难得，而世之识真者亦少。"这三语连成一句，作者没有明说的意思是什么？与下文又有什么关系？

4. 试从篇中摘出现代语不能照样翻译的语句来，并且说明现代语该怎么说。

137

## 十八　痴华鬘题记　鲁迅

尝闻天竺寓言之富，如大林深泉，他国艺文往往蒙其影响。即翻为华言之佛经中，亦随在可见。明徐元太辑《喻林》，颇加搜录，然卷帙繁重，不易得之。

佛藏中经以"譬喻"为名者可五六种，惟《百喻经》最有条贯。其书具名《百句譬喻经》。《出三藏记集》云：天竺僧伽斯那从修多罗藏十二部经中钞出譬喻，聚为一部，凡一百事，为新学者撰说此经。萧齐永明十年九月十日，中天竺法师求那毗地出。以譬喻说法者，本经云："如阿伽陀药，树叶而裹之，取药涂毒竟，树叶还弃之。戏笑如叶裹，实义在其中"也。

王君品青爱其设喻之妙，因除去教诫，独留寓言，又缘经末有"尊者僧伽斯那造作《痴华鬘》竟"语，即据以回复原名，仍印为两卷。尝称百喻，而实缺二者，疑举成数，或并以卷首之引，卷末之偈为二事也。

尊者造论，虽以正法为心，譬故事于树叶，而言必及法，反多拘牵。今则已无阿伽陀药，更何得有药裹？出离界域，内外洞然，智者所见，盖不惟佛说正义而已矣。

中华民国十五年五月十二日。

138

## 作者及篇题

鲁迅（一八八一——一九三六）是周树人的笔名。他早年留学日本，学医。民国初年在教育部做事，又在北京大学等校教书，一九二七年以后专门从事写作。他的《全集》有二十厚册。这一篇题记属于序跋类。华鬘是戴在头上或挂在身上的花圈儿，佛教譬喻文学多系撰集之作，杂义贯串，故名"华鬘"。其中多藉愚人行事做譬喻，故冠以"痴"字。《百喻经》是鲁迅很喜欢的一本书，金陵刻经处民国三年的刻本就是"会稽周树人施洋银六十圆敬刻"的。题记：序跋一类，但较短。

## 音义

【天竺】印度旧译名。 【艺文】文艺。 【蒙】受。"蒙"的本义是盖，披，跟"被"的本义相同，又同样引申而有"受"的意义。 【随在】随处。 【徐元太】明朝人。嘉靖年间进士，官至刑部尚书。 【《喻林》】一百二十卷，有万历刻本，现在很不容易得。 【颇 pō】很。 【搜 sōu】收集。 【录】采取，＝抄～。

【藏 zàng】佛教经典总名为～，有时又分别经、律、论三～。【条贯】条理。 【具名】全部名称，≠签名。 【《出三藏记集》】梁朝僧祐著，记载当时所译佛经的名目，译者姓名，并节录序跋等。出：翻译。 【修多罗藏】经藏。（译音。）【事】件。 【撰】作（文）。 【永明】齐武帝年号。～～十年是公元四九二年。 【中天竺】印度自古分东、南、西、北、中五部，称"五印度"或"五天竺"，是地理的区分，不是政治的区分。 【法师】有学问有德行的和尚。 【法】佛～，佛教的教义。 【阿伽陀】（译音）一种"功兼诸药"的药。 【竟】完。 【还 xuán】马上，≡旋。

【教诫】教训。 【缘】因为。 【尊者】有道的高僧。 【疑】怀～（是），恐怕（是）。 【举】说出。 【成数】整数。 【偈讠】（译音）佛经里总括要义的颂。上面引的"如阿伽陀药"六句就在卷末的偈里边。

【造论】著书。 【正法】佛教徒称佛法为～～。【以……为心】用意在……　　【洞然】通达的样子。 【智者】聪明人。 【正义】佛教徒称佛教教义为～～，≠公道。


## 语法

1. 以譬喩说法者，本经云……也；尝称百喩，而实缺二者，疑……也。"者"字提示一句话，底下加以解释，用"也"字结。

2. 树叶而裹之。这个"而"字在一般文言里是没有的，佛经里为了凑句子的字数常常有多余的"而"字和"于"字。

3. 即据"之"以回复原名；疑 [其] 举成数。


## 讨论及练习

1. 一本书的序和跋大率是说说写作的宗旨跟编印的经过等

等，是一种说明文。本篇分四段：一，佛经中多有譬喻；二，《百喻经》撰译经过，及譬喻为了说"法"；三，重印，改名，并解释百喻之实只九十八；四，说明何以重印时除去教诫。

2. 鲁迅是新文学的大师，可是他早年也是用文言写作的；不但早年，就是在他已经写了大量的语体作品之后，学术性的文章如《中国小说史略》、《汉文学史纲要》、《唐宋传奇集》后面的《稗边杂缀》等，他也还是用文言来写的。但是单篇的文言作品不多，这篇题记是其中之一。鲁迅的文言另有一种风格，和一般"古文"大异其趣；他糅合汉魏文的整齐和笔记文的朴素，而又很能调和。在这一篇里随便举两三个例子：第一段"然卷帙繁重，不易得之"不作"不易得也"；第三段"尝称百喻，而实缺二"不作"而实缺其二"；第四段"今则已无阿伽陀药，更何得有药裹？"不用"乎"或"哉"——这些地方都可以见出他跟所谓古文家取径不同。

3. 把第四段翻成现代语。

## 十九　英文汉诂叙　严复

扬子云曰："言，心声也。"心声发于天籁之自然，必非有人焉，能为之律令，使必循之以为合也。顾发于自然矣，而使本之于心而合，入之于耳而通，将自有其不可畔者。然则并其律令谓之出于自然，可也。

格物者，考形气之律令也。冯相者，察天行之律令也。治名学者，体之于思虑。明群理者，验之于人伦。凡皆求之自然，著其大例，以为循守。文谱者，特为此于语言文字间耳。

故文法有二：有大同者焉，为一切语言文字之所公；有专国者焉，为一种之民所独用。而是二者，皆察于成迹，举其所会通，以为之谱。夫非若议礼典刑者，有所制作颁垂，则一而已。

庄周曰："生于齐者，不能不齐言；生于楚者，不能不楚言。"小儿之学语，耳熟口从，习然而已，安有所谓法者哉？故文谱者，讲其所已习，非由此而得其所习也。

十稔以还，吾国之习英文者益众，然学者每苦其法之难通，求之于其浅，又罕能解其惑而餍其意。癸卯，南昌熊子访不佞于京师，慭然诹诿，意谓必纂是编，乃有以答海内学者之愤悱。

　　窃念吾国比者方求西学，夫求西学而不由其文字语言，则终费时而无效。乃以数月之力，杂采英人马孙摩栗思等之说，至于析辞而止。旁行斜上，释以汉文，广为设譬，颜曰《英文汉诂》。庶几有以解学者之惑而餍其意欤？未可知也。

　　虽然，文谱者，讲其所已习，非由此而得其所习者也。诚欲精通英文，则在博学多通熟之而已。使徒执是编以为已足，是无异钞食单而以为果腹，诵《书谱》而遂废临池，斯无望已。

## 作者及篇题

　　严复，字几道，清侯官人。游学英国学海军，回国后办水师学堂，又从事翻译工作。民国初年曾任北京大学校长。他翻译的西洋名著，重要的有《天演论》（T. H. Huxley：*Evolution and Ethics*）、《群学肄言》（H. Spencer：*A Study of Sociology*）、《群己权界论》（J. S. Mill：*On Liberty*）、《法意》（Montesquieu：*The Spirit of Law*）、《原富》（Adam Smith：*The Wealth of Nations*）、《穆勒名学》（J. S. Mill：*A System of Logic*）等，在清末思想界很有些影响。《英文汉诂》是他编的一本讲英文法的书，解释全用中文。诂（gǔ）：解释。叙≡序。

## 音义

　　【扬子云】名雄，汉成都人。长于词赋，著有《太玄》、《法言》等。下文引语见于《法言·问神篇》。 【发于……之自然】自然而然，没有旁的力量替他作主。 【天籁 lài】自然的音响。风吹草动，鸟鸣兽叫，以及人类的语言呼啸，都是自然的音响，都是～～。 【律令】规则，条例。 【循之以为合】依照了那律令才算对。 【本】⑩求其根～。 【不可畔者】指律令。畔：违背。不可违背的规则或条例，那就是律令了。

【格物】究明种种事物的道理。旧时称理、化、博物等学科为"格致"，是从"～～致知"简缩而来的。这里～～就指这些学科。 【形气】形：种种有形的东西。气：气体。气也指存在种种物体间的不可见的原理，如声的传播，电的发光，元素的化合等。 【冯相 píng xiàng】《周礼》春官之属有"～～氏"的官，职司观察天文。这里指天文学。 【天行】～体运～。【治】研究（学问）。 【名学】论理学，以思想的规则为研究对象的学问。 【体】～察，～验。 【思虑】思想，思想活动是自然的。 【明】究～，发～。 【群理】社会的原理。 【人伦】人与人的关系。人与人结合成社会也是自然的。 【著】订定。【大例】重要规则。 【文谱】语法。

【为一切语言文字之所公】这是各种语言学的共同规律。【专国】专就某一国（的语言作研究）。 【成迹】现成的（语言）现象。 【会通】会：共通。通：通用（的程度跟限制）。【议礼】订定社会间的种种礼节。这是人为的事情，不是求之自然的。 【典刑】立法。（刑可以不限于刑法。）这也是人为的事情，不是求之自然的。 【制作】创制。 【颁 bān 垂】颁布出去。垂：流传下去。

144

【庄周】战国宋人。他的书名《庄子》。下文引语不见于《庄子》，大概是作者的误记。 【习然】习惯成这样。

【稔 rěn】年。原义是谷熟，大多数地方的谷都是一年一熟。 【以还】把时间倒数上去。跟顺数下来的"以来"正相反。但实际上的意思是一样的，这里也是说"近十年来"。 【罕 hǎn】少。 【餍 yàn】满足。 【癸卯】一九〇三年。 【南昌熊子】熊元谔，字季廉，严复的学生。 【侫 nìng】自称的谦辞，犹如"不才"。 【慇 yīn 然】殷勤地，慇≡殷。 【诿诿 chuí wěi】嘱托。 【纂 zhuàn】≡撰。 【愤悱 fěi】烦闷困惑。《论语·述而》记孔子的话："不～不启，不～不发。"就是说，修学能有所启发都从～～而来。

【窃】私下里，谦词。 【比 bì 者】近来。 【采】≡採。【马孙】Charles Peter Mason，（一八二〇——九〇〇）。 【摩栗思】Richard Morris，（一八三三——一八九四）。 【析辞】分析词句。 【旁行斜上】指横行的文字。这四字原来说横行的表谱。【颜】题名。 【庶几】或许，差不多，表示希望的语气。

【果腹】吃饱。 【《书谱》】唐孙过庭作《书谱》，宋姜夔作《续书谱》，都是谈书法的。 【临池】习字。东汉张芝在池边练字，池水尽黑，后来就用～～代"习字"。 【斯】这就。

## 语法

1. 本之于心而合；解其惑；答海内学者之愤悱；广为设譬；颜曰《英文汉诂》。（词性）

2. 必非有人焉；有大同者焉；有专国者焉。

3. 则一而已；习然而已；在博学多通熟之而已。

4. 故文谱者，讲其所已习，非由此而得其所习也；虽然，文谱者，讲其所已习，非由此而得其所习者也。（比较）

5. 能为之律令；以为之谱。

## 讨论及练习

1. 篇中说"格物"、"冯相"句式相同，说"治名学"、"明群理"句式也相同。四项用两种句式，什么用意？如果把四项改从一律，或依前一种句式，或依后一种句式，该怎样？

2. "钞食单而以为果腹，诵《书谱》而遂废临池"，两个比喻的本意是什么？

3. 作者对于语法的主要见解在哪几句表现出来？这种见解对于现在人研习本国语法和英语语法有什么帮助？

4. 试举例说明"察于成迹，举其所会通"。

## 二十　无家别　杜甫

寂寞天宝后，园庐但蒿藜。
我里百余家，世乱各东西，
存者无消息，死者为尘泥。

贱子因阵败，归来寻旧蹊。
久行见空巷，日瘦气惨凄，
但对狐与狸，竖毛怒我啼。
四邻何所有？一二老寡妻。
宿鸟恋本枝，安辞且穷栖？
方春独荷锄，日暮还灌畦。

县吏知我至，召令习鼓鞞。
虽从本州役，内顾无所携。
近行止一身，远去终转迷，
家乡既荡尽，远近理亦齐。
永痛长病母，五年委沟谿，
生我不得力，终身两酸嘶。
人生无家别，何以为烝黎！

## 作者及篇题

杜甫，字子美，唐朝襄阳人。大诗人，与李白齐名，可是他的诗特别切近现实生活，他把所见所闻所思所感全都收在诗里。他写当时兵役和战争的痛苦，有"三吏"（《新安吏》、《潼关吏》、《石壕吏》）"三别"（《新婚别》、《垂老别》、《无家别》），是向来被人称道的。

## 音义

【天宝】唐玄宗年号（七四二—七五五）。安禄山在天宝末年谋反，以后又有史思明谋反，史称"安史之乱"。 【但】只（有）。 【蒿藜 hāo lí】两种草本植物。诗文中常用来表示荒凉景象——一处地方蒿藜乱生，荒凉可知。

【贱子】自称的谦词。 【阵】战~，打仗。 【蹊 xī】小路。 【貍 lí】哺乳类食肉动物，形状像狐，可是小些。（≡狸）。 【穷栖】苦苦地守在家里。 【荷 hè】掮。 【灌畦】在田里浇水。畦（qí）：田亩。

【习鼓鞞】入伍当兵。鞞（pí）：小鼓（≡鼙）。鼓鞞是军队里的东西。——等于说习军事。 【从本州役】服本州的兵役。——不必远去，好像是幸事。 【内顾】关顾家庭。 【无所携】没有一个人可以同他离别的。——这就虽近也惨伤了。携：分离。（≠携带。） 【转迷】到底弄到不知道自己在哪儿。 【荡】糟蹋。 【理亦齐】在道理上也是一样的。【委沟谿】死

148

去，尸身丢在沟豁里，没有好好地安葬。 【两酸嘶】母子双方都酸心。嘶（sī）：与"酸"字连结。 【无家别】无家而又要别去这个不成家的家。 【烝 zhēng 黎】民众，老百姓。烝：众（《诗》、《大雅》有《烝民》一篇，"烝民"就是"众民"）。黎：人民。

## 诗体略说

这一首是五言古体诗。

通篇一韵到底。所有韵脚现在念起来都叶韵（全是 i 韵），只有一个"嘶"（sī）不对。唐朝时候"嘶"跟其余的字同属齐韵。

## 讨论及练习

1. 全篇是作者自己的口气不是？

2. "归来寻旧蹊"，从一个"寻"字，可以想见些什么？

3. "日瘦气惨凄"，太阳怎么会"瘦"起来？这个"瘦"字表示什么？"气"字又指什么？

4. "竖毛怒我啼"怎么讲？啼的是谁？

5. 从"一二老寡妻"可以想见些什么？

6. "宿鸟恋本枝"一句起什么作用？

7. "虽从本州役……远近理亦齐"六句包含几层意思？

8. "安辞且穷栖？""何以为烝黎！"现代语怎么说？

## 二十一　岳阳楼记　范仲淹

庆历四年春，滕子京谪守巴陵郡。越明年，政通人和，百废具兴。乃重修岳阳楼，增其旧制；刻唐贤今人诗赋于其上；属予作文以记之。

予观夫巴陵胜状，在洞庭一湖。衔远山，吞长江，浩浩汤汤，横无际涯；朝晖夕阴，气象万千：此则岳阳楼之大观也；前人之述备矣。

然则北通巫峡，南极潇湘，迁客骚人，多会于此；览物之情，得无异乎？

若夫霪雨霏霏，连月不开；阴风怒号；浊浪排空；日星隐耀；山岳潜形；商旅不行；樯倾楫摧；薄暮冥冥，虎啸猿啼。登斯楼也，则有去国怀乡，忧谗畏讥，满目萧然，感极而悲者矣。

至若春和景明，波澜不惊；上下天光，一碧万顷；沙鸥翔集；锦鳞游泳；岸芷汀兰，郁郁青青。而或长烟一空；皓月千里；浮光跃金；静影沉璧；渔歌互答；此乐何极？登斯楼也，则有心旷神怡，宠辱偕忘；把酒临风，其喜洋洋者矣。

嗟夫！予尝求古仁人之心，或异二者之为。何哉？不以物喜；不以己悲。居庙堂之高，则忧其民；处江湖之远，则忧其君。是进亦忧，退亦忧。然则何时而乐耶？其必曰先天下之忧而忧，后天下之乐而乐乎？噫！微斯人吾谁与归？

时六年九月十五日。

## 作者及篇题

范仲淹，字希文，宋吴县人。大中祥符间（一〇〇八——一〇一六）举进士。后以龙图阁直学士与夏竦经略陕西，号令严明，边防巩固，夏人、羌人都不敢进犯。后又召拜枢密副使，进参知政事。卒谥文正。有《范文正公集》。本篇见集中。岳阳楼在湖南岳阳城西，靠着洞庭湖，唐张说创建。

## 音义

【庆历】宋仁宗年号。四年当公元一〇四四年。　【滕子京】名宗谅，河南人。与范仲淹同举进士，庆历间因范的推荐，擢天章阁待制，不久因事被贬，出守岳州巴陵郡（郡治今湖南省岳阳县）。　【谪 zhé】京官获罪降级，出任外官。　【政通】一切政务都办通。　【人和】人民和乐。　【百废】本郡所有从前废弛的事情。　【具】全都（从勹~备）。　【制】规模。　【唐贤】唐朝的名人。（这个"贤"字跟圣贤的"贤"有点差别，圣贤的"贤"偏重在道德实践方面。）　【赋】战国时候开始的一种文体。作法是就某一题材铺开来说。形式是注重整齐匀称，到后来并且讲究声韵，成为"骈文"的一类。　【属】≡嘱。　【予】≡余。

　　【胜状】～景。　【衔 xián】口中含着东西。　【浩浩】水广大的样子。　【汤 shāng 汤】≠ tāng　大水流得很急的样子。【横】宽阔。　【际涯】边岸。　【朝晖夕阴】早晨的阳光跟傍晚的阴暗，包括一天里天气的种种变化。　【万千】极言变化之多。　【述】称～，那些诗赋里所说的。　【备】完～，详尽。

　　【巫峡】长江三峡之一，在今四川省巫山县。说通～～，也就是说通四川。　【极】尽，直到。　【潇湘】湘水入洞庭湖。潇水在零陵县西跟湘水会合。说极～～，也就是说通湘南各地。【迁客】被贬谪的官吏。迁：官职调动，有寻常调动跟贬谪两义，这里是后一义。平民无所谓迁，所以～～专指官吏。　【骚人】诗人。屈原作《离骚》（离：遭逢；骚：忧愁）。屈原是古来大诗人，所以称诗人为～～。　【会】原义是聚～，这里只是经过的意思。多数人经过，虽然未必同时，也就是～了。　【览物】观看景物。　【得无】只怕，表测度。　【异】（有点）两样——因景物而两样。

　　【霪 yín】久雨。　【霏 fēi 霏】雨下得很密的样子。　【不开】不见晴朗。　【号】吼（风吹声）。　【排空】激起在空中。【隐耀】隐没了光耀。　【潜形】掩没了形体。潜：没入水里。【商旅】行商跟旅客。　【摧】～坏。　【冥 míng 冥】昏昏暗暗的。　【虎啸猿啼】"啸"（xiào）跟"啼"都是叫。文言里一部分动物的叫都有专用字，虎只用"啸"，猿除"啼"之外，也可以用"啸"，用"鸣"。　【则有……者矣】就有……的情形了。【去国】离开京都。国 ≠ 国家。　【怀乡】怀念家乡。　【谗

152

chán】伤害好人的坏话。　【萧然】凄凉萧索的样子。

　　【春和】春光温和。　【景明】景物晴明。　【澜】大的波。【不惊】不起。波浪不起，就～～人了。　【一碧】一片碧色（湖水的颜色）。　【万顷】极言其广大。田一百亩叫顷。　【沙鸥】鸥属游禽类，常聚集水边沙滩上，所以诗文中常用～～。　【翔集】有时飞起，有时停下。　【锦鳞】鳞指鱼，以部分代全体。锦：说鱼鳞的光彩像锦似的。　【芷 zhǐ】多年生草本，开簇聚的小白花。　【汀 tīng】岸边平处。　【郁 yù 郁】形容香气的强烈。　【长烟一空】长天的烟雾一扫而空。　【皓 hào】白。【浮光跃金】浮动的波光好似有无数的金块在那里跳动。　【沉璧】沉在水底的璧，比拟水中的月影。　【渔歌】渔人所唱的歌。【互答】彼此接应。　【旷】宽敞。　【怡】愉快。　【宠辱】（从他人方面来的）恩宠跟耻辱。　【偕】同，一齐。　【把酒】端起酒来。（但不说"把茶"。）　【临风】当～。　【洋洋】从容得意的样子。

　　【嗟 jiē 夫】叹词。　【求】考～，研究。　【仁人】怀抱仁心的人，具有正统的孔氏的人生观的人。　【异】～于，跟……两样。　【之为】之所为，所表现的。　【不以物喜】不因景物的可喜而喜。　【不以己悲】不因自己的厄运而悲。　【庙堂】朝廷。【高】就地位说。　【江湖】跟"庙堂"相对，指贬谪在外。【远】就跟朝廷的距离说。　【是】所以。　【进、退】指从政的得志跟失意。　【其】大概，表测度。　【噫 yī】叹词。　【微】若不是。　【斯人】这样的人。　【谁与归】归向谁呢？与归：对……归向（信仰，钦服）。

## 语法

1. 而或长烟一空；或异二者之为。（比较）

2. 一碧万顷；长烟一空。（"一"字都不是计数。）

3. 若夫……至若……而或……（发端的虚字）

4. 吾谁与归？我归向谁？（位置）

5. 不以物〔而〕喜，不以己〔而〕悲；先天下之忧而忧，后天下之乐而乐。

6. 微斯人吾谁与归？（反诘句。直陈句该怎么说？比较反诘句跟直陈句的效果。）

7. 霪雨霏霏，连月不开；阴风怒号；浊浪排空；日星隐耀；山岳潜形；商旅不行；樯倾楫摧；薄暮冥冥，虎啸猿啼。这些四字句，就语法上说，分两种情形。一种是具备主语和谓语，可以独立的——"阴风"以下六句都是如此。另一种是要合两个四字句才成为一个完全句子的——"霪雨"的谓语有"霏霏"和"连月不开"两部分；"薄暮冥冥"虽然也可以分主语和谓语两部分，但它的全体只是"啸"和"啼"的修饰语（表时间）。因此，我们在标点上略加区别。古人是没有我们现在的"句子"观念的，这里只是四字一断的一连串的排句。

8. 浮光〔 〕跃金；静影〔 〕沉璧。就意义说，这里省了字（什么字？）；就四字句的形式说，这里没有省字，理应由读者意会。

**讨论及练习**

1. "先天下之忧而忧，后天下之乐而乐"，向来被认为是作者的名言，即此可见作者是正统的儒家。现代的观念，个人包容在大群之中，个人跟大群息息相关，所以一切思虑行动都该以大群为前提。这跟作者"先忧后乐"的说法是同是异？

2. "忧其民"跟"忧其君"，忧的是什么？

3. 第四段说的是迁客骚人"以己悲"，第五段说的是迁客骚人"以物喜"，第六段说古仁人是"不以物喜，不以己悲"的。作者记岳阳楼为什么提及迁客骚人？只因为"迁客骚人，多会于此"吗？又为什么提及古仁人？只因为他自己归向古仁人吗？

4. 说"予尝求古仁人之心，或异二者之为"，又说"其必曰……乎？噫！微斯人吾谁与归"，都是婉转的说法，其实这一段就是作者自己的见解。为什么要用婉转的说法？

5. "政通人和，百废具兴"，似乎也可以不说，说了有什么作用？

6. 所谓"赋"是就某一题材铺排开来说。这篇记岳阳楼，先叙洞庭湖的景象和交通，次引出迁客骚人，分叙他们眼中所见的雨景跟晴景，以及对景所生的情：这就是铺排。又，"若夫"、"至若"、"而或"等发端的虚字都是词赋所习用的。所以这一篇虽名为"记"，体制却近于"赋"。

7. 指出篇中的对偶句。

8. 在楼上望湖，湖里无论怎样大的鱼也看不见。"锦鳞游泳"只能说是想当然。试想这一句怎么来的？

9. 篇中四字句全顾到平仄对称的原则了吗？还是有顾到有不顾到？

10. 本篇第四、第五、第六三段似乎有宽泛的押韵。拿当时的韵书做标准，"明"和"惊"同韵，"忘"和"洋"同韵；"为"和"悲"不同韵，但韵书注明"同用"；"顷"和"泳"也是如此，但多一个上声和去声的区别。这是比较明显的。其余如"号"和"耀"，"行"和"冥"，"摧"和"啼"，"讥"和"悲"，"青"和"明"、"惊"，"璧"和"极"，"民"和"君"，"归"和"为"、"悲"，都属于邻近的韵，韵书虽不注"同用"，当时的声韵学家是把它们归入一"摄"（＝韵类）的。"霏"和"开"虽不同摄，但实际也很接近。

11. 试把本篇第六段翻成现代语。

## 二十二　书博鸡者事　高启

博鸡者袁人，素无赖，不事产业，日抱鸡呼少年博市中，任气好斗，诸为里侠者皆下之。

元至正间，袁有守多惠政，民甚爱之。部使者臧，新贵，将按郡至袁。守自负年德，易之，闻其至，笑曰："臧氏之子也。"或以告臧，臧怒，欲中守法。会袁有豪民尝受守杖，知使者意嗛守，即诬守纳己赇。使者遂逮守，胁服，夺其官。袁人大愤，然未有以报也。

一日，博鸡者遨于市。众知有为，因让之曰："若素名勇，徒能藉贫屡者耳。彼豪民恃其赀，诬去贤使君，袁人失父母。若诚丈夫，不能为使君一奋臂邪？"

博鸡者曰："诺。"

即入闾左呼子弟素健者，得数十人，遮豪民于道。豪民方华衣乘马，从群奴而驰。博鸡者直前捽下提殴之。奴惊，各亡去。乃褫豪民衣自衣，复自策其马，麾众拥豪民马前，反接，徇诸市，使自呼曰："为民诬太守者视此！"一步一呼，不呼则杖其背，尽创。

豪民子闻难，鸠宗族僮奴百许人，欲要篡以归。博鸡者遂谓曰："若欲死而父，即前斗。否则阖门善俟。吾行市毕即归若父，无恙也。"豪民子惧遂杖杀其父，不敢动，稍敛众以去。

袁人相聚从观，欢动一城。

郡录事骇之，驰白府。府佐快其所为，阴纵之，不问。

日暮，至豪民第门，捽使跪，数之曰："若为民不自谨，冒使君，杖汝，法也。敢用是为怨望，又投间蔑污使君使罢，汝罪宜死。今姑贷汝，后不善自改，且复妄言，我当焚汝庐，戕汝家矣！"

豪民气尽，以额叩地，谢不敢。乃释之。

博鸡者因告众曰："是足以报使君者未邪？"

众曰："若所为诚快，然使君冤未白，犹无益也。"博鸡者曰："然。"

即连楮为巨幅，广二丈，大书一"屈"字，以两竿夹揭之，走诉行御史台。台臣弗为理。乃与其徒日张"屈"字游金陵市中。台臣惭，追受其牒，为复守官而黜臧使者。

方是时，博鸡者以义闻东南。


**作者及篇题**

高启，字季迪，明初长洲人。曾参加修《元史》。因文字触忌讳，被明太祖所恨，处腰斩。所著有《大全集》、《凫藻集》。本篇在《凫藻集》中。"书……事"：记……的事。博鸡：以斗鸡作赌博。

## 音义

【袁】元朝的袁州路，属于江西等处行中书省，领宜春、分宜、万载三县，萍乡一州。当时各路设总管府，袁州路的总管府在宜春。　【素】～来，向来。　【无赖】蛮横不干正经事。【事】从～、做。　【产业】行业，生计，≠家产。　【少年】年轻人，跟现代语的“青年”相近。　【任气】纵任意气。　【为里侠者】在乡里间当好汉的。　【下】㊐居……之下，服从。

【至正】元顺帝年号（一三四一——一三六七）。　【守】指袁州路的总管。～本是汉朝时候郡长官的名称。　【惠政】有利于民众的政绩。　【部使者】指江西湖东道肃政廉访司。廉访司掌纠察刑狱等事务，大略相当于现在省级的检察官，但权力较大，能随宜处分。这里称～～～，是借用汉武帝时候州部刺史的名称。【臧 zāng 氏之子】这是双关讥刺语。《孟子·梁惠王上》：“嬖人有臧仓者沮君。……臧氏之子焉能使予不遇哉！”　【新贵】新近得做高官。　【按郡】视察所管各地。　【年德】年高有德。　【易】㊐瞧不起。　【或】有一个人。　【中……[以]法】用法律陷害……。中（zhòng）：射中，打中。　【会】适逢。【豪民】土豪。　【嫌 xián】怀恨。　【诬 wū】谎说。　【赇 qiú】贿赂。　【逮】～捕。　【胁服】威胁他让他屈服。　【夺】革掉，免职。

【遨 áo】游荡。　【有为】有办法，有能耐。　【让】责备。【若】你（对长上不适用）。　【名】㊐号称。　【藉】践踏，欺侮。 【孱 chán】软弱。 【赀 zī】财产。 【使君】汉朝时候对州郡长官的称谓。这里指总管。 【诚】假使是。 【丈夫】男子汉,大～～。 【奋臂】帮忙。～～:举起臂膀,是帮忙的具体说法。 【邪】≡耶。

【闾左】贫苦人家聚集处。闾(lú):里门。古时豪富人家居里门之右,贫苦人家居里门之左。 【子弟】=上文的"少年"。 【遮】拦住。 【捽 zuó】抓住头部。 【提 dǐ】掷。 【殴 ōu】打。 【亡】逃。 【褫 chǐ】剥脱。 【策】用马鞭子打马(从⑧马鞭子)。 【麾 huī】指挥。 【反接】反绑着手。 【徇 xùn】游行示众。 【为民】做老百姓的。 【太守】=守,也是汉朝时候的名称。 【创】伤。

【难 nàn】祸患,乱子。 【鸠 jiū】聚集。 【僮 tóng 奴】僮也是奴仆,但古时奴仆作"童",儿童作"僮"。 【要篡】拦路夺取。 【而父】而:你的。 【阖 hé】关门。 【善俟】好好儿等着。 【无恙 yàng】没有什么伤害。 【敛】收集。

【郡录事】元朝时候路治所在地设录事司,专掌城中户民之事,相当于现在的省市警察局。起初凡二千户以上的城市,录事司设录事司侯、判官各一员;二千户以下的省掉判官。后来设"达鲁花赤"(蒙古语音译,长官的意思,任"达鲁花赤"的例须是蒙古人或色目人),省掉司侯,由判官兼任捕盗之事。本篇所记的事在元朝末年,～～～当指"达鲁花赤"或判官。 【白】报告。 【府】总管～。前一个总管已经免职,当然有了新的总管了。 【府佐】总管府里的佐官。当时袁州路是"上路"

（十万户以上的为上路，十万户以下的为下路），佐官有同知、治中、判官各一员，又有推官二员，专治刑狱。　【快】⑩感觉痛～。　【阴】暗地里。　【纵 zòng】放任，不管。

【第】宅子。　【数 shǔ】～说，责备。　【冒】～犯。【敢】乃～，竟～。　【为怨望】发生怨恨之心。　【投间 jiàn】趁机会。　【蔑 miè 污】说坏话，诬陷。　【罢】丢掉官职。　【贷】宽恕不究。　【庐 lú】房屋。　【戕 qiāng】杀害。

【气尽】气焰一点没有了。　【谢】认罪。　【释】放。

【白】表～。

【楮 chǔ】纸。～树的皮是造纸原料。　【行御史台】当时中央有御史台，择重要地区置行台，专司监临各省，统制各道宪司。这里的～～～～指江南～～～～，设置地点屡次有变动，最后设在建康（现在的南京，也就是下文所说的金陵）。江西湖东道肃政廉访司直接隶属于江南～～～～。　【理】受～这件案子。　【徒】同伙。　【牒 dié】状子。　【黜 chù】降官。

【义】～气。　【闻】传扬，著名。


## 语法

1. 若诚丈夫；若所为诚快。（词性）

2. 府佐快其所为；若所为诚快。（词性）

3. 从群奴而驰；袁人相聚从观。（比较）

4. 若欲死而父；吾行市毕即归若父，汝罪宜死。

5. 是足以报使君者未邪？

6. 众知〔 〕有为；袁人〔 〕失父母；豪民方〔 〕华衣乘马；麾众拥豪民〔 〕马前；〔 〕尽创；博鸡者遂谓〔 〕曰；博鸡者以义闻〔 〕东南。

## 讨论及练习

1. 文家好古，关于典章制度的名称，喜欢用古代的来替代，以为照用了当时的就不古了。本篇如"守"、"太守"、"部使者"都不是元朝所有，使读者不能确知是什么官，必待考查元朝的官制，才得知道。

2. 博鸡者干的使当时人很痛快。用现代的眼光看起来，他的行为有问题吗？

3. 守笑说"臧氏之子也"，表示什么意思？

4. 民众对博鸡者说的几句话何以是"让之"？就表面看，这几句话有没有要他领头起来反抗的意思？

5. 民众说贤使君去了，"袁人失父母"，把贤使君称为"父母"，何所取义？

6. 博鸡者和他的同伴天天在金陵市中游行，台臣就不好不理，什么缘故？

7. "戕汝家矣"，"家"指什么？若改用两个字，上面的"庐"字也得改了。为什么？

8. 未有以报也 = 无以报也；府佐快其所为 = 府佐快之。试仿此例，改作本篇的若干句。

9. 把本篇的对话翻成现代语。

## 二十三　促　织　蒲松龄

宣德间，宫中尚促织之戏，岁征民间。此物故非西产，有华阴令欲媚上官，以一头进，试使斗，而才，因责常供。令以责之里正。市中游侠儿得佳者笼养之，昂其直，居为奇货。里胥猾黠，假此科敛丁口，每责一头，辄倾数家之产。

邑有成名者，操童子业，久不售。为人迂讷，遂为猾胥报充里正役，百计营谋不能脱，不终岁，薄产累尽。会征促织，成不敢敛户口，而又无所赔偿，忧闷欲死。妻曰："死何裨益？不如自行搜觅，冀有万一之得。"成然之。早出暮归，提竹筒丝笼，于败堵丛草处，探石发穴，靡计不施，迄无济。即捕得两三头，又劣弱不中于款。宰严限追比，旬余，杖至百，两股间脓血流离，并虫亦不能行捉矣。转侧床头，惟思自尽。

时村中来一驼背巫，能以神卜。成妻具赀诣问，见红女白婆，填塞门户。入其舍，则密室垂帘，帘外设香几。问者爇香于鼎，再拜。巫从旁望空代祝，唇吻翕辟，不知何词。各各竦立以听。少间，帘内掷一纸出，即道人意中事，无毫发爽。成妻纳钱案上，焚拜如前人。食顷，帘动，片纸抛落。视之，非字而画，中绘殿阁，类兰若。后小山下怪石卧，铖铖丛棘，青麻头伏焉。旁一蟆，若将跃舞。展玩不可晓。然睹促织，隐中胸怀。折藏之，归以示成。

成反复自念，得无教我猎虫所耶？细瞻景状，与村东大佛阁逼似。乃强起扶杖，执图诣寺后，有古陵蔚起。循陵而走，见蹲石鳞鳞，俨然类画。遂于蒿莱中侧听徐行，似寻铖芥。而心目耳力俱穷，绝无踪响。冥搜未已，一癞头蟆猝然跃去。成益愕，急逐趁之，蟆入草间。蹑踪披求，见有虫伏棘根。遽扑之，入石穴中。掭以尖草，不出。以筒水灌之，始出。状极俊健。逐而得之。审视，巨身修尾，青项金翅。大喜，笼归，举家庆贺，虽连城拱璧不啻也。上于盆而养之，蟹白栗黄，备极护爱，留待限期，以塞官责。

成有子九岁，窥父不在，窃发盆。虫跃掷径出，迅不可捉。及扑入手，已股落腹裂，斯须就毙。儿惧，啼告母。母闻之，面色灰死，大惊曰："业根，死期至矣！而翁归，自与汝覆算耳！"儿涕而去。

未几而成归，闻妻言，如被冰雪。怒索儿，儿渺然不知所往。既而得其尸于井，因而化怒为悲，抢呼欲绝。夫妻向隅，茅舍无烟，相对默然，不复聊赖。日将暮，取儿藁葬。近抚之，气息惙然。喜置榻上，半夜复苏。夫妻心稍慰，但见神气痴木，奄奄思睡。成顾蟋蟀笼虚，则气断声吞，亦不复以儿为念。自昏达曙，目不交睫。东曦既驾，僵卧长愁。忽闻门外虫鸣，惊起觇视，虫宛然尚在。喜而捕之，一鸣辄跃去，行且速。覆之以掌，虚若无物。手裁举，则又超忽而跃。急趋之，折过墙隅，迷其所往。徘徊四顾，见虫伏壁上。审谛之，短小，黑赤色，顿非前物。成以其小，劣之。惟彷徨瞻顾，寻所逐者。壁上小虫忽跃落衿袖间。视之，形若土狗，梅花翅，方首长胫，意似良。喜而收之，将献公堂，惴惴恐不当意，思试之斗以觇之。

　　村中少年好事者驯养一虫，自名蟹壳青，日与子弟角，无不胜。欲居之以为利，而高其直，亦无售者。径造庐访成，视成所蓄，掩口胡卢而笑。因出己虫，纳比笼中。成视之，庞然修伟，自增惭怍，不敢与较。少年固强之。顾念蓄劣物终无所用，不如拼博一笑。因合纳斗盆。小虫伏不动，蠢若木鸡。少年又大笑。试以猪鬣撩拨虫须，仍不动。少年又笑。屡撩之，虫暴怒，直奔，遂相腾击，振奋作声。俄见小虫跃起，张尾伸须，直龁敌领。少年大骇，急解令休止。虫翘然矜鸣，似报主知。成大喜。方共瞻玩，一鸡瞥来，径进以啄。成骇立愕呼。幸啄不中，虫跃去尺有咫。鸡健进，逐逼之，虫已在爪下矣。成仓猝莫知所救，顿足失色。旋见鸡伸颈摆扑，临视，则虫集冠上，力叮不释。成益惊喜，掇置笼中。

翼日进宰。宰见其小，怒诃成。成述其异。宰不信。试与他虫斗，虫尽靡。又试之鸡，果如成言。乃赏成，献诸抚军。抚军大悦，以金笼进上，细疏其能。既入宫中，举天下所贡蝴蝶、螳螂、油利挞、青丝额一切异状遍试之，无出其右者。每闻琴瑟之声，则应节而舞。益奇之。上大嘉悦，诏赐抚臣名马衣缎。抚军不忘所自，无何，宰以卓异闻。宰悦，免成役。又嘱学使，俾入邑庠。后岁余，成子精神复旧，自言身化促织，轻捷善斗，今始苏耳。抚军亦厚赉成。不数岁，田百顷，楼阁万椽，牛羊蹄躈各千计，一出门，裘马过世家焉。

## 作者及篇题

蒲松龄，字留仙，山东省淄川县人。清朝康熙间岁贡生，后来不再从事科举，专心在古文方面用力。著作很多，《聊斋志异》最有名，从前读书人看小说的，几乎必读这一部书。我国古代小说原有"志怪"一类，《聊斋志异》继承着这个传统，书中各篇谈鬼怪狐仙的特别多。《聊斋志异》谈狐说鬼与别的"志怪"小说不同，在于设想奇幻而不违人情，又常刻画世态以寄托讽刺。全书有很多篇脍炙人口，不为无因。但是作者喜欢在篇末用"异史氏曰"开头，发一通议论，大多数是画蛇添足。这篇《促织》的末了也有这样一段，已经删去。促织：蟋蟀的别名。

## 音义

【宣德】明宣宗年号（一四二六——一四三五）。【尚】时行，看重。【促织之戏】斗蟋蟀。【征】按户收取。【故】原来。【西产】西部地区的产品。【华阴】县名，在陕西，属于西部地区。【令】县官。【媚 mèi】讨好。【才】来得（很能斗）。【责】派定。【里正】保长、甲长之类。【游侠儿】游手好闲，不务正业的人。也就是前一篇中所谓"为里侠者"。【直】＝值，价值。【居为奇货】留着看作名贵货色。简作"居奇"。【里胥】乡里间当公差的，此处指乡长、镇长之类。【猾黠 huá xiá】刁诈。【科敛】科：定出规例来。敛：收取（钱财）。【丁口】人丁（民众）。【倾】消耗完。

【邑】指华阴。【操童子业】读书准备投考。从前凡没有入学的读书人，不论年纪大小，都称童生。操……业：从事一种职业。【不售】考不上（本义是卖不掉）。【迂 yū】拘谨。【讷 nè】不多说话。【营谋】想办法。【累尽】受这个累而耗完。【裨 bì】补益。这里跟"益"字连结。【自行】自己来。【冀 jì】希望。【迄】一直（专用在否定句）。【无济】没有成功。【不中于款】不合条件。中（zhòng）：符合。款：合格的条件。【宰 zǎi】官，常用做县令的别称。【严限】严定期限。【追比】催促交出（赋税跟贡物等）。从前征收钱粮，分派给各公役，定下期限，到期拿征收到的实数跟限额比较，称为"比"。【流离】淋漓，≠流浪。【行捉】去捉。【转侧】

167

翻来覆去。【自尽】自杀。

【巫 wū】师婆子，自称能通神的女子。 【以神卜】凭着神的意旨占卜。 【具】准备。 【诣 yì】往（带着恭敬的意味）。【红女白婆】红颜少女，白发婆婆。 【填】～满，也就是塞住。这里跟"塞"字连结。 【爇 ruò】烧。 【鼎】本是烹饪的器具，后来用来称香炉。 【再拜】古时候的敬礼。跪下，头向下低，碰到手，叫做拜。～～是这么来两回。 【祝 zhù】祷告。【翕 xī 辟】阖了又张，张了又阖。 【竦 sǒng】恭恭敬敬的。【毫发】一点儿。一根毫毛和一根头发都是极微细的。 【爽】差错。 【焚拜】焚香跪拜。【食顷】一顿饭的工夫。 【兰若】僧寺，梵语译音"阿兰若"的省称。 【铖铖】形容丛棘的尖刺。铖≡针。 【青麻头】上品的蟋蟀的名称。 【蟆 má】虾～。【玩】～索，研究。 【睹】看见。 【隐中胸怀】暗地里正合自己的心思。

【瞻 zhān】看。 【逼似】极相像。 【陵】坟墓。 【蔚 wèi】草木茂盛。 【鳞鳞】石块多，望过去好像一片片的鱼鳞似的。 【蒿莱】野草。 【侧听】侧着耳朵听。 【铖芥】～和～子都是极细微的东西。 【冥搜】用尽心思搜索。 【猝 cù 然】突然。 【逐趁】追。 【蹑 niè】跟踪。 【蹟】≡迹，跡。【披求】拉开丛草搜求。 【掭 tiàn】徐徐逗引。 【修】长。 【连城】说那拱璧的价值可以抵得好些个城。 【不啻 chì】～止。【蟹白栗黄】指精美的米饭。 【塞……责】免除……的责备。

【发盆】开～。 【跃掷】这个"掷"字是"自掷"，＝

"跳"，跟"跃"字连结。　【斯须】＝"须臾"，一会儿。　【毙】≡毙。　【面色灰死】死是作死色。　【业根】祸种，骂人的话。业是"业障"，佛家语，罪恶。　【覆算】算账。

　　【被】盖着。　【渺然】无影无踪。　【抢 qiāng 呼】"抢地呼天"的简缩。抢地：头触地。　【绝】～命，死。　【向隅】《说苑·贵德篇》："今有满堂饮酒，有一人独索然～～泣，则一堂之人皆不乐。"这里～～就表示"泣"。　【不复聊赖】不再有什么靠傍，潦倒至极。也可以作"无聊赖"，简省作"无聊"。　【藁 gǎo 葬】不用棺木，裹草下葬。　【惙 chuò 然】委顿得很。　【苏 sū】复活。　【奄 yǎn 奄】没有生气的样子。　【气断声吞】气也透不出了，声音也发不出了——极度忧伤的样子。【交睫 jié】合眼。睫：眼毛。　【曦 xī】早晨的太阳光。　【东曦既驾】太阳已经出来。古代传说，太阳乘车，驾着六龙，所以这里说"既驾"。　【觇 chān】偷偷地察看。　【宛然】状貌可见的样子。　【裁】⑪≡才。　【超忽】突然跳起。　【审谛 dì】仔细。这里作⑩，仔细看。　【彷徨 páng huáng】徘徊。（彷≡彷。）【衿】≡襟。　【土狗】蝼蛄的别名。　【胫 jìng】腿。　【意】～态，神情。　【公堂】指县官的衙门。　【惴 zhuì 惴】担惊受怕的。　【当 dàng 意】合……的意思。

　　【好事者】活跃分子。　【子弟】年轻朋友（原义是幼辈）。【角】斗，比赛。　【造庐】造：到。庐：（成的）家屋。　【所蓄】养着的（蟋蟀）。　【胡卢】笑的样子。　【比笼】并排着的笼子。　【庞 páng 然】形容物体的大。　【怍 zuò】惭愧，这里跟"惭"字连结。　【顾念】回转来想。　【拚 pàn】拼着（拼命，拼死）。　【博】换取。　【木鸡】《庄子·达生篇》讲到训练斗鸡，鸡要像～～似的不动声色，才算训练到了家。这里借用，形容那蟋蟀的呆木。　【鬣】（马的、猪的）毛。　【暴怒】突然发怒。　【腾】跳起。　【龁 hé】咬。　【解】～开（两虫的斗）。　【翘 qiào 然】耸起身子的样子。　【矜鸣】表示得意而叫。矜（jīn）：夸耀。　【瞥】一～，忽然间。　【尺有咫】一尺又八寸。有（yòu）：＝"又"。咫（zhǐ）：周朝的八寸。　【健进】健是雄健。　【失色】脸色转变。　【集】停留（本义是鸟停留在树上）。　【掇 duō】拾取。

　　【翼日】明天。（翼≡翌。）　【诃 hē】怒喝。　【靡】抵挡不住而溃败。　【抚军】巡抚的别称。明朝初年，派遣大员安抚某一地方，叫做巡抚。后来各省都设巡抚，总管全省的民政、军政。　【疏】分条列举。　【蝴蝶、螳螂、油利挞、青丝额】都是蟋蟀佳种的名称。挞 tà。　【异状】特别的种类——这些种类都是凭形状来分的。　【出其右】在其上，胜过它——古来以右首为上。　【琴瑟】古代的两种弦乐器。琴七弦，瑟（sè）二十五弦。　【应节】合着曲调的节拍。　【嘉】奖赞。　【诏 zhào】（皇帝的）命令。　【抚臣】指抚军。　【名马】好马。　【所自】（受赏的）来由。　【无何】没有多少时候。　【以……闻】得到某种结果，为大家所知道。　【卓异】吏部考核官吏的成绩的评语。才能优越的得着这个评语。　【学使】各省的学使专管考试，取读书人入学。【邑庠 xiáng】县学。各县都有学校，设在孔庙旁边，但都有名无实，所谓"进学"只是取得秀才的资格。庠是古代学校的名称。　【赉】赏赐。　【百顷】跟下文的"万椽"都是言其多，并非确指。　【蹄躈 qiào】《史记·货殖传》："马～～千。"据旧注，"躈"通"噭"，就是"口"。一匹马一口四蹄，两百匹马两百口八百蹄，合起来是千数。这里用《史记》的句法说明牛羊的数目。　【裘马】古来常用"轻裘肥马"形容富贵人家的优裕生活，简约用两字，可以作～～，也可以作"轻肥"。【世家】好几代做官的人家。

## 语法

1. 顾念蓄劣物终无所用；成以其小，劣之。（词性）

2. 顿足失色；顿非前物。（词性）

3. 举家庆贺；举天下所贡……一切异状遍试之。（词性）

4. 笼养之。（比较：养之笼中。）

5. 思试之斗以觇之；又试之鸡。

6. 俨然类画；一癞头蟆猝然跃去；儿渺然不知所往；相对默然；气息惙然；虫宛然尚在；庞然修伟；虫翘然矜鸣。（在本书各篇中寻找别的"×然"的例子。）

7. 靡计不施（＝百计尽施）；无毫发爽（＝不爽毫发）；虽连城拱璧不啻也（＝不啻连城拱璧也）；莫知所救（＝莫知所以救之者）。

## 讨论及练习

1. 华阴县本来不必供蟋蟀，为什么竟要"常供"？

2. 成名当了里正，为什么"薄产累尽"？又为什么"忧闷欲死"？甚至"转侧床头，惟思自尽"？

3. 驼背巫屋内情形是什么人眼中看见的？何以见得？

4. "如被冰雪"比的什么？"茅舍无烟"指的什么？"气断声吞"描写的什么？

5. "虫宛然尚在"的"虫"是哪一头？真有这头虫吗？

6. 试指出省略主语的处所。

7. 试指出用作动词的名词。

8. 试指出省略"于"字的语句，愈多愈好。

9. 试指出省略"之"字的语句，愈多愈好。

## 二十四　夏珪秋霖图　李葆恂

夏珪《秋霖图》，绢本，大幅，水墨画，瀚郁满幅，两人持盖行溪桥上，树木皆偃，作风雨势；款署夏珪二字，大如钱；李芝陔丈藏本。

一日，丈招同盛意园、张辟非两君饮酒看画，丈颇以余评骘为不谬，每出一语，必加激赏。意园亦然。余酒微酣，笑曰："平生事事让人，惟于赏鉴颇具真解，古人不可知，当世恐无敌手。意园巨眼人，当知我非妄自誉者。"因改苏句吟曰："我虽不善画，晓画莫如我。"意园和之。

辟非微愠曰："君辈互相标榜，不畏旁人齿冷耶？"

意园正色曰："此事颇有定评，余亦岂妄叹者！"

辟非愤然，拉丈入室，取一画出，因解所佩玉翁仲所谓"汉八刀"者置几上，曰："以此为质，烦两君为证人。此画款在下方，文石果能知此是谁画，便任取去。倘有谬误，君辈如何？"

余笑曰："即执贽门下，何如？"

于是展画，甫见峦头，余即曰："此非马远定是夏珪。"

张愕然，复问曰："究是马是夏？莫作模棱语！"

余曰："画中有人物否？若有人物更易定。否则树木一二株可矣。"

又展半幅，至持盖两人，余取"汉八刀"佩之，曰："禹玉笔，更无疑义。"趣观款字，果然。

意园鼓掌笑曰："何如？"

辟非强曰："必待看人物始知是夏，恐犹非第一流。"

意园叹曰："此正文石赏鉴不可及处。公解书而不解画，实则书画一理。譬如颜体书，君必不谓是欧，赵体书，君必不谓是董。何则？各有家法面目故也。惟画亦然。荆关李郭亦各有家法面目，迥不相同，最易辨识。惟董巨最相似，即前辈赏鉴，往往有某谓是董某谓是巨者，多不相合。然却绝无以董巨为李郭者，以家法面目截然不同故也。马夏亦最相似，所辨在几微间。文石一见即知为马夏，此凡知画派者皆能之，不足深异。若再看人物即断主名，乃真知马夏几微分别处。是非好学深思，心知其意，又多见古迹者，不能到此境界。宋商邱尝云：'虽暗中摸索，亦知真赝。'此语太夸，吾不敢信。要亦与吾文石等耳，未必今人遽逊古人也。若卞令之吴荷屋辈，犹不知果如何耳。"

丈笑曰："文石赏鉴，得意园作疏证而益高。此则可入画话。"

遂畅饮而罢。所观即此幅也。

夏画所见亦十余帧，并一面目。许仙屏丈在河北时，一日即获两幅，知其真迹存世尚多，本不足存。余沾沾以此自喜，语多不逊，尤不可为训。惟意园论画实有入微处，非余所及，因以入咏。今三君皆作古人，车过腹痛，泚笔泫然。

**作者及篇题**

李葆恂，字文石，清义州人。从小就爱画。家藏极富，交游之中又多收藏家，所见古今名画既多，赏鉴的眼光自然高妙。著有《海王村所见书画录》等。这篇在他的《无益有益斋论画诗》里。赏鉴家常喜作论画诗，往往是七言绝句若干首，每首把自己对于某画派、某画家或某一幅画的印象发抒出来。一首七言绝句只有二十八个字，往往不能说得畅达，于是又在诗后面加上小记。我们去掉那首诗，单录这篇小记。夏珪（guī），字禹玉，宋钱塘人，画院待诏。霖（lín）：大雨。

**音义**

【绢本】写字作画，或用纸，或用绢。以保存而言，～～不如纸本经久。 【滃 wěng 郁】云气很浓的样子。 【盖】伞。【偃 yǎn】倒仆。 【款】书画上的署名。 【大如钱】钱的直径约一寸。 【李芝陔】名在铣，清末收藏家。 【丈】对于前辈的尊称。【藏本】凡书画书籍归某某收藏的，叫做某某～～。

【盛意园】名昱，字伯熙，别号意园。【张辟非】名度，字叔宪，别号辟非。【评骘 zhì】批评，审定。【不谬】～错。这里是谦词，自谦说～～，实际是很好了。【激赏】剧烈赞美。【酣 hān】醉。【赏鉴】欣赏与鉴别（对于艺术品）。欣赏是欣赏他的佳妙处。鉴别是分析真伪、派别等。【真解】真切见解。【敌手】对手，能力相等的人。【巨眼】有独到的眼光，≠大眼睛。【苏句】苏轼的诗句。原诗题目是《和子由论书》（书是书法）。开头两句道："吾虽不善书，晓书莫如我。"【晓】懂得，了解。

【愠 yùn】怒。【标榜】称扬。【齿冷】讥笑。笑必张口，牙齿就露出而觉得冷了。【正色】板起面孔。【叹】赞美。原文作"歎"。古语歎与"嘆"有分别，歎是赞叹，叹慕，属于欢悦一方面，"嘆"才是悲哀而叹气。现在两字通用。

【佩】系（在衣带上）。【玉翁仲】玉雕的人像。古代铜像石像都称翁仲。【汉八刀】我们不知道。曾经请教一位考古专家，也不知道。【质 zhì】取信于人的抵押品。【执贽门下】做您的学生。贽（zhì）：初次见面时手执的礼物。

【马远】宋钱塘人，画院待诏。

【模棱 léng】不决断（可以这样，可以那样）。

【趣 cù】赶紧。

【第一流】头等（赏鉴家）。

【颜】唐～真卿，他的书法笔力厚实，特称"～字"。【欧】

唐~阳询，他的书法笔力遒劲，结体匀整，特称"~字"。 【赵】元~孟頫（fǔ），他的书法笔姿圆润，特称"~字"。 【董】明~其昌，他的书法与赵孟頫一路，而比较挺秀。 【何则】为什么？ 【家法】一个宗派传授下来的法则。 【面目】作品的形象。 【荆关李郭】后梁荆浩、关仝，宋李成、郭熙，四人都是山水画大家。 【董巨】南唐董源、巨然（和尚）。二人也是山水画大家。 【然却】这两字向不连用，大约作者因欲加重转折语气，没有留意文字的习惯而连了起来。现在语体文中常见口语所没有的"但却"二字，情形与这"然却"相同。 【几几微】微细。 【主名】认定的那人的姓名。 【宋商邱】名荦（luò），清商邱人（从前喜用地名官名称人，表示尊崇）。能文，善画，精于赏鉴。 【赝 yàn】假货色。 【要】总之。 【吾文石】"吾"表亲密。 【遽 jù】遂，就。 【逊 xùn】不及。 【卞令之】名永誉，清盖牟人。善书画，精于赏鉴。 【吴荷屋】名荣光，清南海人。善书画，精于赏鉴。 【疏证】解释和证明。 【则】一节（事情或文字）。 【画话】评画论画的著作。（评诗论诗的叫诗话，评词论词的叫词话。）

　　【帧 zhèng】幅。 【许仙屏】名振祎，江西人。收藏家。 【本不足存】意即这《秋霖图》不过夏珪许多作品中的一幅，未必是最好的一幅，不值得吟诗作记，收在《论画诗》里。 【沾沾】衣裳整齐的样子。"沾沾自喜"是成语，出于《史记·魏其侯传》。指自己说是谦词，若指人家说，就带一点鄙薄的意味了。 【不逊】不恭顺。指作者自负"当世恐无敌手"，以及对张辟非说"即执贽门下，何如？"（这仍是自负的口气）。 【不可为训】没有道理，不足以为模范。 【入微】辨析得极精微。 【作古人】死去。 【车过腹痛】曹操作《祀故太尉桥玄文》，中间叙及玄生时曾跟他戏言，将来他若经过玄的墓道，"不以斗酒只鸡"致祭，"车过三步，腹痛勿怪"。后人就用～～～～表示悼念亡友的意思。【泚 cǐ】汗渗出的样子。～笔，蘸墨作文。 【泫 xuàn 然】水滴下垂的样子，这里形容眼泪挂在眼眶边。

## 语法

1. 当知我非妄自誉者；余亦岂妄叹者；此正文石赏鉴不可及处。（词性及作用）

2. 因改苏句吟曰；因解所佩玉翁仲；以家法面目截然不同故也；因以入咏。（比较）

3. 晓画莫如我；莫作模棱语。（比较）

4. 若有人物更易定；禹玉笔，更无疑义。（比较）

5. 各有家法面目故也；以家法面目截然不同故也。（比较）

6. 倘有谬误，君辈如何？犹不知果如何耳；即执贽门下，何如？意园鼓掌笑曰："何如？"（比较）

7. 丈招（　）同盛意园张辟非两君饮酒看画；夏画（　）所见亦十余帧。

## 讨论及练习

1. 赏鉴书画，辨真伪是个重要项目。真迹见得多，知道各家特点的细微处，遇见冒充的假货，就一望而知了。

2. 盛意园给作者的赏鉴作疏证，主要意思是什么？

3. "即执赘门下，何如？"也是自负的话，为什么？

4. "作风雨势"，"古人不可知"，现代语怎么说？

5. "文石果能知此是谁画，便任取去"，取什么去？为什么不至于误会？

6. 篇中问答的话很有传神处，试加说明。

## 二十五　缭　绫　白居易

缭绫缭绫何所似？不似罗绡与纨绮，
应似天台山上明月前，四十五尺瀑布泉。
中有文章又奇绝，地铺白烟花簇雪。

织者何人衣者谁？越溪寒女汉宫姬。

去年中使宣口敕，天上取样人间织。
织为云外秋雁行，染作江南春水色。
广裁衫袖长制裙，金斗熨波刀翦纹。
异彩奇文相隐映，转侧看花花不定。

昭阳舞人恩正深，春衣一对直千金，
汗沾粉污不再著，曳土蹋泥无惜心。

缭绫织成费功绩，莫比寻常缯与帛。
丝细缲多女手疼，扎扎千声不盈尺。
昭阳殿里歌舞人，若见织时应也惜。

## 作者及篇题

白居易，字乐天，唐太原人。著作有《白氏长庆集》。他作诗有意求其平易，使一般人都能了解。至于诗的内容，他自己分作两类。一类是闲适的诗，抒写自己性情的。一类是讽谕的诗，揭露当时的社会病态跟民生疾苦，希望人家读了有所警觉的。他有"新乐府"五十篇，属于讽谕的一类，这篇是其中之一。缭绫 (liáo líng)：一种丝织物的名称。他这五十篇诗题之下都附注一句话标明作意，《缭绫》之下注的是"念女工之劳也"。

## 音义

【何所似】像个什么？　【罗绡 xiāo】两种丝织物。织文稀疏的叫罗。绡是生丝绸。　【纨绮 wán qǐ】两种丝织物。纨是细绢。绮是有花纹的绸。　【天台山】在浙江省天台县北，山上的瀑布有名。　【文章】花纹。　【奇绝】奇妙透顶。　【地】底子（如"白地青花"）。

【越溪】也称若耶溪，在浙江省绍兴县南，相传西施曾在溪上浣纱。这里指明女工的所在地。　【寒女】贫女（"贫寒"二字常连用）。　【汉宫】不便明说唐宫，所以假托～～。　【姬】宫女。

【中使】宫中派出的使者。　【勅 chì】皇帝告臣下的文书。（≡敕。）宣口勅，宣布皇帝的口头命令。　【天上】比喻皇宫。　【人间】民间。　【秋雁行】所织的花纹。（行 háng）【广裁衫袖】幅阔正够连袖子一起裁，不必拼接。【裳】≡裙。
【金斗熨波刀翦纹】总说裁缝工作。金斗：熨斗。翦≡剪。
"波"跟"纹"都指舞衣的折皱处。　【相隐映】因反射关系，文
彩时而隐，时而显。

　　【昭阳】汉宫中殿名。不便明说唐宫，所以假托～～。
【恩】所受皇帝的～宠。　【直】≡值。　【躧】≡踏。

　　【缯 zēng 与帛 bó】都是绸。　【缫 sāo】抽茧出丝。（≡
缲。）【扎扎】织机声。　【盈 yíng】满。


## 诗体略说

　　五言、七言古诗以通体五言、七言为常例。也有插入几句少
于或多于五言、七言的，如这篇第三句"应似天台山上明月前"
就是九言，这是作者的自由。"应似"两字犹如戏曲跟弹词中
的"衬字"，不占节拍。

　　这一篇是换韵的诗。而且，平声韵跟仄声韵相间换用，这也
是常例。

　　换韵又有整齐和不整齐的分别。整齐的限定每若干句换一
个韵。不整齐的随便。这一篇换韵是不整齐的，前头两句两句换
韵，末了"绩"、"帛"、"尺"、"惜"那个韵却多到六句了。

　　两句两句换韵的，单数句非押韵不可。四句、六句以至更多
句才换韵的，第一句（单数句）为了唤起预感也押韵（并非必须
押韵），以后的单数句却是决不押韵的（除了通篇句句押韵的诗
以外）。并且，这些单数句末了一字声调的平仄必须跟所押的韵

不同（若押平声韵，第三句末了用仄声字，若押仄声韵，第三句末了用平声字，第五句、第七句……照此），以求声音的变化。这篇的押韵方式就是这样的。

各组押韵字，现在仍然同韵的，不必提出。单把现在不同韵的各组，按《广韵》注明韵部如下：

似（止韵）绮（纸韵）（上声韵。止、纸两韵同用。）

谁（脂韵）姬（之韵）（平声韵。脂、之两韵同用。）

勒（职韵）织（职韵）色（职韵）（入声韵。）

绩（锡韵）帛（陌韵）尺（昔韵）惜（昔韵）（仄声韵。《广韵》记明锡韵独用，陌昔两韵同用，这好像是白氏用出了韵了。但诗家惯例，对于引出某韵的第一个押韵字，往往有用接近的韵部里的字的，而锡韵与陌昔两韵正相接近。这样说来，白居易没有错儿。）


## 讨论及练习

1. 明明是当时的事，却要假托汉宫跟昭阳，为什么不便于明说？

2. 除了"念女工之劳"以外，这篇诗还有旁的主旨吗？

3. 试指出篇中的对偶句。

4. 试指出篇中美妙的描写句。

5. "曳土蹋泥"，"土"跟"泥"是不是"曳"跟"蹋"的目的格？

## 二十六　训俭示康　司马光

　　吾本寒家，世以清白相承。吾性不喜华靡，自为乳儿，长者加以金银华美之服，辄羞赧，弃去之。二十忝科名，闻喜宴独不戴花。同年曰："君赐不可违也。"乃簪一花。平生衣取蔽寒，食取充腹，亦不敢服垢弊以矫俗干名，但顺吾性而已。众人皆以奢靡为荣，吾心独以俭素为美。人皆嗤吾固陋，吾不以为病，应之曰："孔子称'与其不逊也，宁固。'又曰：'以约失之，鲜矣。'又曰：'士志于道，而耻恶衣恶食者，未足与议也。'"古人以俭为美德，今人乃以俭相诟病，嘻！异哉！

　　近岁风俗尤为侈靡，走卒类士服，农夫蹑丝履。吾记天圣中先公为群牧判官，客至未尝不置酒，或三行五行，多不过七行。酒酤于市，果止于梨栗枣柿之类，肴止于脯醢菜羹，器用瓷漆。当时士大夫家皆然，人不相非也。会数而礼勤，物薄而情厚。近日士大夫家，酒非内法，果肴非远方珍异，食非多品，器皿非满案，不敢会宾友。常数月营聚，然后敢发书。苟或不然，人争非之，以为鄙吝。故不随俗靡者盖鲜矣。嗟乎！风俗颓弊如是，居位者虽不能禁，忍助之乎？

又闻昔李文靖公为相，治居第于封丘门内，听事前仅容旋马。或言其太隘。公笑曰："居第当传子孙。此为宰相听事诚隘，为太祝、奉礼听事已宽矣。"参政鲁公为谏官，真宗遣使急召之，得于酒家。既入，问其所来，以实对。曰："卿为清望官，奈何饮于酒肆？"对曰："臣家贫，客至，无器皿肴果，故就酒家觞之。"上以无隐，益重之。张文节为相，自奉养如为河阳掌书记时，所亲或规之曰："公今受俸不少，而自奉若此，公虽自信清约，外人颇有公孙布被之讥。公宜少从众。"公叹曰："吾今日之俸，虽举家锦衣玉食，何患不能？顾人之常情，由俭入奢易，由奢入俭难。吾今日之俸岂能常存？一旦异于今日，家人习奢已久，不能顿俭，必致失所。岂若吾居位去位，身存身亡，常如一日乎？"呜呼！大贤之深谋远虑，岂庸人所及哉？

御孙曰："俭，德之共也。侈，恶之大也。"共，同也，言有德者皆由俭来也。夫俭则寡欲。君子寡欲，则不役于物，可以直道而行。小人寡欲，则能谨身，节用，远罪，丰家。故曰："俭，德之共也。"侈则多欲。君子多欲，则贪慕富贵，枉道速祸。小人多欲，则多求，妄用，败家，丧身。是以居官必贿，居乡必盗。故曰："侈，恶之大也。"

昔正考父饘鬻以餬口，孟僖子知其后必有达人。季文

子相三君，妾不衣帛，马不食粟，君子以为忠。管仲镂簋
朱纮，山楶藻棁，孔子鄙其小器。公叔文子享卫灵公，史
鳐知其及祸，及戌，果以富得罪出亡。何曾日食万钱，至
孙以骄溢倾家。石崇以奢靡夸人，卒以此死东市。近世寇
莱公豪侈冠一时，然以功业大，人莫之非，子孙习其家
风，今多穷困。其余以俭立名，以侈自败者，多矣，不可
遍数，聊举数人以训汝。汝非徒身当服行，当以训汝子
孙，使知前辈之风俗云。

## 作者及篇题

司马光（一〇一九——一〇八六），字君实，宋陕州夏县人。
宝元年间进士，累官端明殿学士，知永兴军。宋神宗时，王安石
行新法，光极言青苗助役法之不便，在反对新法的一群中居领袖
的地位。哲宗即位，光入为相，把新法全废除了。卒后赠温国
公，谥文正。所著有《温国文正司马公文集》和由他主编的《资
治通鉴》等。本篇见集中。康是他的儿子，品学都好。

## 音义

【清白】纯洁，本义指品行，这里指一般的生活习惯。 【华
靡】奢侈。 【金银华美之服】"服"字兼指衣服和佩戴之物。
【赧 nǎn】脸羞红。 【忝】谦词。原义是羞辱，意谓自己的学问
不够，辱没了科名。 【科名】唐以来设科取士，叫做科举。取
士分等第，因而又叫科第。科第又称功名。 【闻喜宴】宋朝赐

宴新进士和各科及第的，叫做～～～。与宴的都赐戴花。　【垢弊】脏的，破的。　【矫俗干名】故意跟一般人不同，借以求得名誉。　【嗤 chī】讪笑。　【固陋】鄙～。　【与其……】见《论语·述而》篇。不逊：行为不合标准。【以约……】见《论语·里仁篇》。失之：（行为上）出毛病。鲜：少。原文"失之"下有"者"字。　【士志……】见《论语·里仁篇》。　【诟 gòu 病】以为耻辱。　【走卒】供奔走的差役。　【类】大率。　【士服】穿士人的衣服。服为劤。【蹑 niè】穿（本义是踏）。【天圣】宋仁宗年号（公元一〇二三——一〇三一）。　【先公】称亡故的父亲。作者的父亲名池。　【群牧判官】群牧司属太仆寺，掌理马政。正使副使以下有判官二人，以京朝官充任。　【三行五行】行：同于"巡"，满座斟酒一回。　【酤】买（酒）。　【肴 yáo】菜。　【脯醢 fǔ hǎi】干肉和肉酱。　【菜羹 gēng】菜汤。【数 shuò】频繁。　【内法】皇宫里用的特别讲究的制造方法。【桉】≡案。　【营聚】准备，储蓄。　【书】书信，此处指请柬。　【靡】一顺倒。　【居位】做官，尤指做大官。　【李文靖公】李沆，字太初，宋太原人。真宗时官至宰相。文靖是他的谥号。　【封丘门】宋汴京（今河南省开封县）的一个城门。　【听事】厅堂。（本来是官吏问事的地方。）　【太祝、奉礼】太常寺有太祝和奉礼郎，都是小官。　【参政鲁公】鲁宗道，字贯之，宋亳州谯人。仁宗时拜参知政事（宰相的副贰）。　【谏官】专掌评议朝政，纠察官吏的官。宋真宗天禧元年始置谏官六员，考所言为殿最，首擢鲁宗道与刘烨为右正言。　【所来】所从来。【清望官】谏官是清贵而有名望的官。　【觞 shāng】请喝酒。（从②酒杯。）　【无隐】不说谎，不欺瞒。出《论语·述而篇》"吾无隐乎尔"。　【张文节】张知白，字用晦，宋沧州清池人。仁宗时官至宰相。文节是他的谥号。　【为河阳掌书记】节度掌书记是很小的幕职官，位在节度判官之下。《宋史》只说张知白曾任河阳节度使判官。　【所亲】亲信的人。　【规】劝。【自奉】自己享用。　【公孙布被】公孙弘在汉武帝时为丞相，卧用布被，表示俭朴。当时人却说他作假，希求名誉。　【玉食】精美的食品。　【失所】样样没着落，事事不安定。

　　【御孙】春秋时鲁大夫。下文的话见《左传》庄公二十四年。当时要把桓公庙的桷（方的椽子）加以雕刻，御孙说这个话进谏。　【共 gòng】～同。　【君子】指做官的。下文"小人"指平民。　【不役于物】不受物质欲望的牵制。　【直道】该怎么样就怎么样。跟下文"枉道"相反。枉道：该怎么样却不怎么样，不该怎么样却怎么样。　【谨身】整饬自己。　【速祸】招祸。速：⑩召致，如"不速之客"。　【居乡】不做官。

　　【正考父】孔子的祖先，宋国的上卿。　【饘鬻 zhān zhōu】稠的和稀的粥，实指稀粥。（鬻＝粥。）　【餬口】饱肚子。原义是薄粥润嘴。（餬≠糊。）　【孟僖子】春秋时鲁大夫，名貜。他将死时，曾经对人称述正考父："其（正考父）鼎铭云：'一命而偻，再命而伛，三命而俯，循墙而走，亦莫余敢侮。饘于是，鬻于是，以餬余口。'……后必有达人，今其将在孔丘乎！"见《左传》昭公七年。达人：知能通达，不同流俗的人。　【季文子】春秋时鲁大夫，名行父。宣公、成公、襄公都任他执政。

188

【管仲】春秋时人，名夷吾。相齐桓公定霸业。　【镂簋 guǐ 】雕刻的祭器。　【朱纮 hóng】华美的冠带。（纮 ≠ 绒。）　【山楶 jié】柱子的上端画作山形。（≡山节。）　【藻棁 zhuó】梁上的短柱画作藻文。这跟"山楶"该是古代讲究房子的装饰。记载管仲有这一类的服用，见于《礼记·礼器篇》跟《杂记篇》。　【孔子鄙其小器】孔子有"管仲之器小哉"的话，见《论语·八佾篇》。器是器量。（小器 ≠ 小气。）　【公叔文子享卫灵公】公叔文子：春秋时卫大夫公孙敖。卫灵公：春秋末卫君。这件事记载在《左传》定公十三年。公叔文子请灵公到他家里宴饮，约定了之后，告诉他的同僚史鳅（qiū）。史鳅说这于他有不利，他家里富有，而卫君性贪，恐怕要遭殃。文子听了着急起来，说："已经约定了，怎么办？"史鳅说："你能尽为臣之礼，就不妨事。你富而不骄，该可以尽礼。你的儿子戍就难了，他骄得很。"后来文子死了，卫君果然跟戍作对，戍只好逃亡到鲁国。

【何曾】字颖考，晋阳夏人。武帝时官太尉。性极奢侈，日食万钱，还说没法下筷子。他的儿子遵、邵，孙子岐、嵩、绥、机、羡，也都奢侈。永嘉之末，何氏灭亡无遗。　【石崇】字季伦，晋南皮人。累官荆州刺史，迁卫尉。派人航海贸易，因而致富。在河阳（今河南省孟县）起金谷别墅，穷极奢靡。家有美姬叫做绿珠，孙秀想要她，绿珠跳楼自杀。孙秀就在赵王伦面前说石崇的坏话，矫诏杀他，一家全处死。　【东市】刑场。汉朝晁错斩～～，是长安的～～。后来就用～～指刑场。　【寇莱公】寇准，字平仲，宋华州人。真宗时，奉命与契丹订澶渊之盟，有大功，封莱国公。 【身】自己，本人。 【服行】实践。

## 讨论

1. 作者主张崇俭，他的理论的根据在哪一节中表明？

2. 他列举前人的一些言行，无非正面反面给他的主张作证。试注意这些人是何等人。他为什么净举这等人？在本篇中有足以印证的语句吗？

3. 现代人要不要崇俭去奢？如果要的，理论的根据是不是跟作者相同？俭跟奢的标准又怎么样？

4. 末一节里说"聊举数人以训汝"，这"数人"包括"以俭立名"的跟"以侈自败"的。下文却接说"汝非徒身当服行"，似乎对于"以侈自败"的那几个人的示范也"当服行"了。该怎么说才醒豁？

5. 本篇除了举例，主旨很简单。试用语体文把主旨写下来。

## 二十七  天工开物 [选录]  宋应星

### 稻

凡稻种最多。不粘者，禾曰秔，米曰粳；粘者，禾曰稌，米曰糯（南方无粘黍，酒皆糯米所为）。质本粳而晚收带粘（俗名"婺源光"之类），不可为酒只可为粥者，又一种性也。

凡稻谷形有长芒、短芒（江南名长芒者曰"浏阳早"，短芒者曰"吉安早"）、长粒、尖粒、圆顶、扁面不一。其中米色有雪白、牙黄、大赤、半紫、杂黑不一。

湿种之期，最早者春分以前，名为"社种"（遇天寒有冻死不生者），最迟者后于清明。凡播种，先以稻麦藁包浸数日，俟其生芽，撒于田中。生出寸许，其名曰秧。秧生三十日，即拔起分栽。若田亩逢旱干、水溢，不可插秧。秧过期，老而长节，即栽于亩中，生谷数粒结果而已。凡秧田一亩所生秧，供移栽二十五亩。

凡秧既分栽后，早者七十日即收获（粳有"救公饥"、"喉下急"，糯有"金包银"之类，方语百千，不可殚述）；最迟者历夏及冬，二百日方收获。其冬季播种、仲夏即收者，则广南之稻，地无霜雪故也。凡稻旬日失水，即愁旱干。夏种冬收之谷，必山间源水不绝之亩，其谷种亦耐久，其土脉亦寒不催苗也。湖滨之田，待夏潦已过，六月方栽者，其秧立夏播种，撒藏高亩之上，以待时也。

南方平原，田多一岁两栽两获者。其再栽秧，俗名晚糯，非粳类也。六月刈初禾，耕治老藁田，插再生秧。其秧清明时已偕早秧撒布。早秧一日无水即死，此秧历四五两月，任从烈日暴干无忧，此一异也。凡再植稻遇秋多晴，则汲灌与稻相终始；农家勤苦，为春酒之需也。凡稻旬日失水，则死期至。幻出旱稻一种，粳而不粘者，即高山可插，又一异也。香稻一种，取其芳气，以供贵人；收实甚少，滋益全无，不足尚也。

凡稻田刈获不再种者，土宜本秋耕垦，使宿藁化烂，敌粪力一倍。或秋旱无水，及怠农春耕，则收获损薄也。凡粪田，若撒枯浇泽，恐霖雨至，过水来，肥质随漂而去。谨视天时，在老农心计也。凡一耕之后，勤者再耕三耕，然后施耙，则土质匀碎，而其中膏脉释化也。

凡牛力穷者，两人以杠悬耜，项背相望而起土，两人竟日仅敌一牛之力。若耕后牛穷，制成磨耙，两人肩手磨轧，则一日敌三牛之力也。

凡牛，中国惟水、黄两种。水牛力倍于黄，但畜水牛者，冬与土室御寒，夏与池塘浴水，畜养心计亦倍于黄牛也。凡牛春前力耕汗出，切忌雨点，将雨则疾驱入室；候过谷雨，则任从风雨不惧也。

吴郡力田者，以锄代耜，不借牛力。愚见贫农之家，会计牛值与水草之资、窃盗死病之变，不若人力亦便。假如有牛者供办十亩，无牛用锄而勤者半之。既已无牛，则秋获之后，田中无复刍牧之患，而菽、麦、麻、蔬诸种，纷纷可种。以再获偿半荒之亩，似亦相当也。

凡稻分秧之后数日，旧叶萎黄而更生新叶，青叶既长，则籽可施焉（俗名挞禾）。植杖于手，以足扶泥壅根，并屈宿田水草使不生也。凡宿田茵草之类遇籽而屈折，而稗稊与茶蓼非足力所可除者，则耘以继之。耘者苦在腰手，辨在两眸；非类既去，而嘉谷茂焉。从此泄以防潦，溉以防旱，旬月而"奄观铚刈"矣。

### 作者及篇题

作者宋应星是明朝末年人，字长庚，江西奉新人。万历中与兄应昇同中举人，崇祯七年任分宜县教谕。升汀州府推官，志书上说他"有贤声，汀人肖像祀之。"后来做到亳州知州，已经是崇祯末年大乱的时候了。著有《天工开物》、《画音归正》、《卮言十种》等书。《天工开物》的序作于崇祯十年，还是署的"分宜教谕宋应星著"。全书十八卷，有文有图；据自序，图是他的朋友涂伯聚画的。《天工开物》记述农、工、矿冶各种技术，多本于亲见亲闻，详细而正确，是我国旧书里很难得的一部奇书。这里选录的四篇，"稻"和"麦"在第一卷《乃粒》，"砖"在第七卷《陶埏》，"车"在第九卷《舟车》。

## 音义

【粘】≡黏。 【秔 jīng】即"粳"之本字。

【社种】社指"春社"，立春后第五个戊日。 【藳 gǎo】稻麦的秆子。（≡稿。） 【数粒】数动。

【殚 dān】尽。 【历夏及冬】及动：到。（≠与。）【仲夏】阴历五月。 【广南】广东、广西在宋朝称广南东路、广南西路。 【源水】泉水。 【潦 lào】雨水大貌。 【刈 yì】割（草）。 【暵 hàn】晒。 【幻出】变出；产生变种。

【宿藳】留在田里的稻根。宿：陈，旧。 【粪田】粪动，上粪，施肥。 【撒枯浇泽】枯指豆饼枯草等干的肥料，泽指粪水等。【膏脉】肥料。 【释化】溶解。 【扛 gāng】≡杠，棍。【耜 sì】犁。

【刍牧】放牛。刍：以草养牲畜。 【菽 shū】豆类总名。

【籽 zǐ】以泥壅禾根。 【蝄 wǎng】水田里的一种草。（≡蛧。） 【稊稗 tí bài】稗是稻田里常有的一种草，结子甚小，就是米里常发现的稗子。稊据字书是跟稗同类的一种草，这里虽然"稊稗"连称，大概就只指稗；《庄子》里有"道在稊稗"的话，这里是用的成语。 【荼蓼 tú liǎo】蓼有水蓼马蓼等多种，这里该是指的水蓼。荼是苦菜，生在旱地，不生水中。古人常把荼和蓼连称，因为一苦一辣，这里的"荼蓼"大概也只指蓼。【非类既去】汉朝吕后当政时，朱虚侯刘章见吕家的人处处专权，作《耕田歌》，有"非其种者，锄而去之"之语。【奄观铚刈】这是《诗经·周颂·臣工篇》里的一句。奄（yǎn）：忽然，很快就。铚（zhì）：名割稻的镰刀，动收获。

## 讨论

1. 说明文要写得好，必须对于所要说明的事物先有清楚而周密的认识。假如作者没有在田间生活过，也没有跟农民详细讨论过，他准写不出这么一篇文字。读者的本乡若是位置在产稻区，就可以拿你自己的经验来跟这一篇里边所说的相印证。如果有不符合的地方，是作者的观察错误呢，还是古今的情况有了改变？他所用的一切名称（事物的和工作的）在读者本乡是怎么个说法？你有没有足够的材料，能让你写一篇"书后"？

2. 说明文贵在层次分明，试为本篇分段，各拟一标题。

3. 本篇提到的节气有春分、清明、立夏、谷雨等等，你能不能顺次说出一年二十四节气的名称？能不能算出它们在阳历里的月日？（每年有一两天的先后，但是比起阴历来要固定多了。）

4. 解释底下这些词语：（1）生谷数粒结果而已，（2）汲灌与稻相终始；（3）项背相望；（4）以再获偿半荒之亩；（5）耘者苦在腰手，辨在两眸。

### 砖

凡坯泥造砖，亦堀地验辨土色：或蓝，或白，或红，或黄（闽广多红泥；蓝者名善泥，江浙居多），皆以黏而

195

不散，粉而不沙者为上。汲水滋土，人逐数牛，错趾踏成稠泥。然后填满木匡之中，铁线弓戛平其面，而成坯形。

凡郡邑城雉、民居垣墙所用者，有眠砖、侧砖两色。眠砖方长条砌，城郭与民人饶富家不惜工费，直叠而上。民居算计者，则一眠之上施侧砖一路，填土砾其中以实之，盖省啬之义也。

凡墙砖而外，甃地者名曰方墁砖；榱桷上用以承瓦者曰楻板砖；圆鞠小桥梁与圭门与窀穸墓穴者曰刀砖，又曰鞠砖。凡刀砖削狭一偏面，相靠挤紧，上砌成圆，车马践压，不能损陷。造方墁砖，泥入方匡中，平板盖面，两人足立其上，研转而坚固之，烧成效用。石工磨斲四沿，然后甃地。刀砖之直视墙砖稍溢一分，楻板砖则积十以当墙砖之一，方墁砖则一以敌墙砖之十也。

凡砖成坯之后，装入窑中。所装百钧，则火力一昼夜，二百钧则倍时而足。凡烧砖，有柴薪窑，有煤炭窑。用薪者出火成青黑色，用煤者出火成白色。

凡柴薪窑，巅上偏侧凿三孔以出烟，火足止薪之候，泥固塞其孔，然后使水转锈。凡火候少一两，则锈色不光。少三两，则名嫩火砖，本色杂现，他日经霜冒雪，则立成解散，仍还土质。火候多一两，则砖面有裂纹。多三两，则砖形缩小坼裂，屈曲不伸，击之如碎铁然，不适于用。巧用者以之埋藏土内为墙脚，则亦有砖之用也。凡观火候，从窑门透视内壁，土受火精，形神摇荡，若金银镕化之极然，陶长辨之。凡转锈之法，窑颠作一平田样，四围稍弦起，灌水其上。砖瓦百钧，用水四十石。水神透入土膜之下，与火意相感而成，水火既济，其质千秋矣。

若煤炭窑，视柴窑深欲倍之，其上圆鞠渐小，併不封顶。其内以煤造成尺五径阔饼，每煤一层，隔砖一层，苇薪垫地发火。

若皇居所用砖，其大者厂在临清，工部分司主之。初，名色有副砖、券砖、平身砖、望板砖、斧刃砖、方砖之类，后革去。半运至京师，每漕舫搭四十块，民舟半之。又细料方砖以甃正殿者，则由苏州造解。其琉璃瓶，色料已载"瓦"款，取薪台基厂，烧由黑窑云。

## 音义

【埏 shān】锤击泥土。出《老子》"埏埴以为器"。　【堀 jué】土中穿穴。(≡掘。又作窟，≡窟。)　【错趾】让它们的脚步参差不齐。

【雉】～堞，城墙垛子。　【色】种。　【饶富】有钱。【砾 lì】石子。　【甃 zhòu】铺砖瓦。原来专指铺修井壁。【墁 màn】把砖铺在地面上，砖下用灰、泥粘住。　【榱桷 cuī jué】椽子。《说文》说：周谓之椽，秦谓之榱，齐鲁谓之桷。　【圆鞠】拱形。鞠：曲，如"鞠躬"。　【圭门】圆顶门。圭：上圆下方的玉器。　【奄岁 zhūn xī】墓穴。　【研】磨。　【效用】供～。

【视】比较。 【一分】十分之一。

【钧】上古时重量单位，汉人云三十斤。

【锈】≠锈。义见本文。 【一两】这里的意思是十分之一还是十六分之一，不明。 【坼 chè】裂。 【陶长】陶工的领袖。【颠】≡巅。 【弦起】突起（专指物之边沿）。【欲】将近，差不多。 【併】≡并。

【临清】县名，在山东省西北部。 【工部】明清的中央政府的行政部门分六部，工部是其一。 【分司】一部之内分几司，有派在京都之外办事的称"分司"。 【名色】名目。 【半运】"半"字疑是"般"（≡搬）之误。 【漕舫 cáo fǎng】政府的运粮船。 【解】送。 【甋】≡砖。 【"瓦"款】"瓦"，原书本篇之前的一篇。款：条目。 【台基厂、黑窑】皆地名，所在不详。


## 讨论

1. 试为本篇各段各拟小标题。

2. 解释底下这些词语：（1）黏而不散，粉而不沙；（2）一眠之上施侧砖一路；（3）火足止薪之候；（4）水火既济，其质千秋；（5）圆鞠渐小。

3. "刀砖削狭一偏面，相靠挤紧，上砌成圆"，这个情形能不能画个图来表示？为什么"车马践压，不能损陷"？这在建筑学上有没有专门名称？

4. "土受火精，形神摇荡"，怎么讲？"水神透入土膜之下，与火意相感而成"，怎么讲？我国过去自然科学不发达，往往有这类近乎神秘的说法。

5. 写文言的人有一个习惯，用古语来代今语，往往因而意义不确定，例如这一篇里的"百钧"到底是多少斤呢？"一两，三两"到底是几分之几呢？

车

凡车，利行平地。古者，秦晋燕齐之交，列国战争必用车，故"千乘"、"万乘"之号起自战国。楚汉血争，而后日辟南方，则水战用舟，陆战用步马。北膺胡虏，交使铁骑。战车遂无所用之，但令服马驾车，以运重载。则今日骡车即同彼时战车之义也。

凡骡车之制，有四轮者，有双轮者。其上承载支架，皆从轴上穿斗而起。四轮者，前后各横轴一根，轴上短柱，起架直梁，梁上载箱；马止脱驾之时，其上平整，如居屋安稳之象。若两轮者，驾马行时，马曳其前，则箱地平正；脱马之时，则以短木从地支撑而住，不然则欹卸也。

凡车轮，一曰辕（俗名车陀）。其大车中毂（俗名车脑），长一尺五寸（见《小戎》朱注），所谓外受辐、中贯轴者。辐计三十片，其内插毂，其外接辋。车轮之中，内集辐，外接辋，圆转一圈者，是曰辅也。辋际尽头，则曰轮辕也。

凡大车，脱时则诸物星散收藏；驾则先上两轴，然后以次间架，凡轼、衡、轸、轭，皆从轴上受基也。

凡四轮大车，量可载五十石，骡马多者或十二挂，或十挂，少亦八挂。执鞭掌御者，居箱之中，立足高处。前马分为两班（战车四马，一班，分骖服），纠黄麻为长索，分系马项，后套总结，收入衡内两傍。凡马索总系透衡入箱处，皆以牛皮束缚，《诗经》所谓"胁驱"是也。掌御者手执长鞭——鞭以麻为绳，长七尺许，竿身亦相等——察视不力者，鞭及其身。箱内用二人踹绳，须识马性与索性者为之；马行太紧则急起踹绳，否则翻车之祸从此起也。凡车行时，遇前途行人应避者，则掌御者急以声呼，则群马皆止。

凡大车饲马，不入肆舍。车上载有柳盘，解索而野食之。乘车人上下皆缘小梯。

凡过桥梁中高边下者，则十马之中择一最强力者，系于车后，当其下坂，则九马从前缓曳，一马从后竭力抓住，以杀其驰趋之势，不然则险道也。

凡大车行程，遇河亦止，遇山亦止，遇曲径小道亦止；徐、兖、汴、梁之交，或达三百里者。无水之国所以济舟楫之穷也。

凡车质，惟先择长者为轴，短者为毂。其木以槐、枣、檀、榆（用梆榆）为上：檀质太久劳则发烧，有慎用者；合抱枣、槐，其至美也。其余轸、衡、箱、轭，则诸木可为耳。

此外，牛车以载刍粮，最盛晋地。路逢隘道，则牛颈系巨铃，名曰"报君知"，犹之骡车群马尽系铃声也。

又北方独辕车，人推其后，驴曳其前，行人不耐骑坐者则雇觅之。鞠席其上，以蔽风日。人必两傍对坐，否则欹倒。此车北上长安、济宁，径达帝京。不载人者载货，约重四五石而止。

其驾牛为轿车者，独盛中州。两傍双轮，中穿一轴，其分寸平如水。横架短衡，列轿其上，人可安坐，脱驾不欹。

其南方独轮推车，则一人之力是视。容载二石，遇坎即止，最远者止达百里而已。


## 音义

【千乘、万乘】如《孟子·梁惠王》："万乘之国，弑其君者必千乘之家；千乘之国，弑其君者必百乘之家。"乘（shèng）≠chéng。 【步马】步兵和骑兵。 【膺 yīng】征伐。 【服马】把马套在车子前头。

【斗】接合。 【欹 qī】不正。（三敧。） 【卸】倒下。

【一曰】又叫做。 【辕】普通指驾车的木棍，一头连轴，一头连骡马。车轮为辕，字书无此解，但其来已久，陆游《入蜀记》已有"过吕城闸，始见独辕小车"。 【《小戎》】《诗经·秦风》篇名。中有"文茵畅毂"一句。 【朱注】朱熹的注。【辅】字书说是"夹车之木"，这里很明显的是指那由多少块木头衔接而成的圆形一圈。 【辋】车轮最外层的一道边框，如今之橡皮轮。 【际】到了。

【轼】车前横木供人凭扶者。 【衡】按本篇所说，为车箱前面木板。 【轸 zhěn】车后横木，或云即车箱。 【轭 è】车前压马颈之横木。

【十二挂】就是十二匹，因为挂在车子上，所以称挂。 【骖服】当中的两匹马叫服，边上的两匹叫骖。【纠】编。【傍 páng】≡旁，≠bàng。 【胁驱】见《小戎》篇，"游环～～"。【踹 chuài】踩。

【肆舍】店房。 【食 sì】喂，≡饲。

【中高边下】边指两头，非两旁。

【檀质太久劳则发烧】"太"字下疑脱一字，如"坚"、"紧"、"密"等。

【骑坐】指骑骡马等。

【中州】河南省。

## 讨论

1. 本篇说到的车子共有几种？旧式的车子除这里所说的以外还有没有？

2. 画图说明车轮的构造和各部分的名称。

3. 解释底下这些词语：（1）北膺胡虏，交使铁骑；（2）车上载有柳盘，解索而野食之；（3）以杀其驰趋之势，不然则险道也；（4）无水之国所以济舟楫之穷也；（5）一人之力是视。

麦

凡麦有数种小麦曰来麦之长也大麦曰牟曰穬杂麦曰雀曰荞皆以播种同时花形相似粉食同功而得麦名也四海之内燕秦晋豫齐鲁诸道烝民粒食小麦居半而黍稷稻粱仅居半西极川云东至闽浙吴楚腹焉方长六千里中种小麦者二十分而一磨面以为捻头环饵馒首汤料之需而饔飧不及焉种余麦者五十分而一闾阎作苦以充朝膳而贵介不与焉穬麦独产陕西一名青稞即大麦随土而变而皮成青黑色者秦人专以饲马饥荒人乃食之大麦亦有粘者河洛用以酿酒雀麦细穗穗中又分十数细子间亦野生荞麦实非麦类然以其为粉疗饥传名为麦则麦之而已凡北方小麦历四时之气自秋播种明年初夏方收南方者种与收期时日差短江南麦花夜发江北麦花昼发亦一异也大麦种获期与小麦相同荞麦则秋半下种不两月而即收其苗遇霜即杀邀天降霜迟迟则有收矣

凡麦与稻初耕垦土则同播种以后则耘籽诸勤苦皆属稻麦惟施耨而已凡北方厥土坟垆易解释者种麦之法耕具差异耕即兼种其服牛起土者耕不用耒并列两铁于横木之上其具方语曰镪镪中间盛一小斗贮麦种于内其斗底空梅花眼牛行摇动种子即从眼中撒下欲密而多则鞭牛疾走子

撒必多欲稀而少则缓其牛撒种即少既撒种后用驴驾两小石团压土埋麦凡麦种紧压方生南方地不同北者多耕多耙之后以灰拌种手指拈而种之种过之后随以脚跟压土使紧以代北方驴石也耕种之后勤议耨锄凡耨草用阔面大镈麦苗生后耨不厌勤有三过四过者余草生机尽诛锄下则竟亩精华尽聚嘉实矣功勤易耨南与北同也凡粪麦田既种以后粪无可施为计在先也陕洛之间忧虫蚀者或以砒霜拌种子南方所用惟炊烬也俗名地灰南方稻田有种肥田麦者不冀麦实当春小麦大麦青青之时耕杀田中蒸罨土性秋收稻谷必加倍也凡麦收空隙可再种他物自初夏至季秋时日亦半载择土宜而为之惟人所取也南方大麦有既刈之后乃种迟生粳稻者勤农作苦明赐无不及也凡荞麦南方必刈稻北方必刈菽稷而后种其性稍吸肥腴能使土瘦然计其获入业偿半谷有余勤农之家何妨再粪也

凡麦妨患抵稻三分之一播种以后雪霜晴潦皆非所计麦性食水甚少北土中春再沐雨水一升则秀华成嘉粒矣荆扬以南唯患霉雨倘成熟之时晴干旬日则仓廪皆盈不可胜食扬州谚云寸麦不怕尺水谓麦初长时任水灭顶无伤尺麦只怕寸水谓成熟时寸水软根倒茎沾泥则麦粒尽烂于地面也江南有雀一种有肉无骨飞食麦田数盈千万然不广及罹害者数十里而止江北蝗生则大祲之岁也

## 音义

【烝民粒食】出《书经·益稷篇》"烝民乃粒"，用现代话说是"百姓才有五谷吃"。烝：众。　【黍稷稻粱】除稻外，这些古代的谷类名称跟现代的名称哪些相当，有好些不同的说法。【捻头】即馓子。　【环饵】圆圈形的饼，也许指这种形状的油条。　【饔飧 yōng sūn】朝食曰饔，夕食曰飧，合起来等于"一日三餐"。　【闾阎作苦】闾阎：里巷。作苦：劳作辛苦。合起来等于"劳动大众"。　【贵介】贵族。介：大。　【差短】比较短些。　【邀】求，得。

【施】加以。　【耨 nòu】锄田。　【坟垆 fén lú】土质松散。　【差异】（跟南方比起来）有点不同。　【议】谋，打算。【镈 bó】锄头。　【竟亩】整个的田里。　【嘉实】指麦。　【易耨】《孟子》"深耕易耨"，注家解"易"字，或曰"治也"，或曰"简易"，皆不甚顺适。《经义述闻》解"易"为"速"、"疾"，较好。即赶快，及时之意。　【罨 yǎn】盖覆。

【再沐】两次获得。沐：得润泽（由洗发之义引申）。【秀】谷类开花。　【华】≡花。　【灭顶】完全没下去。【罹 lí】遭受（祸害）。　【祲 jìn】灾。

## 讨论

1. 这一篇在原书分三部分，分别标题"麦"、"麦工"、"麦灾"。在每一部分还可以再分段落否？

2. 读者的本乡是不是拿麦做主要的农作物？对于本篇的记述，能不能加以补充或修正？

3. 底下这些词语怎么讲：（1）粉食同功；（2）吴楚腹焉；（3）则麦之而已；（4）耨不厌勤；（5）蒸罨土性；（6）业偿半谷有余；（7）不可胜食。

4. "江南麦花夜发，江北麦花昼发"，这个话靠得住靠不住？如果是事实，应该如何解释？

## 二十八　吴船录 [节录]　范成大

丁亥、戊子、己丑、庚寅、辛卯。泊嘉州。遣近送人马归者十九，留家嘉州岸下，单骑入峨眉。有三山为一列，曰大峨、中峨、小峨。中峨、小峨昔传有游者，今不复有路，惟大峨一山，其高摩霄，为佛书所记普贤大士示现之所。自郡城出西门，济燕渡。水汹涌甚险，此即雅州江，其源自巂州邛部合大渡河，穿夷界千山以来。过渡宿苏稽镇。

壬辰。早发苏稽，午过符文镇。两镇市井繁遝，类壮县。符文出布，村妇聚观于道，皆行而绩麻，无索手者。民皆束艾蒿于门，燃之发烟，意者熏祓秽气，以为候迎之礼。午后至峨眉县宿。

癸巳。发峨眉县，出西门登山。过慈福、普安二院，白水庄，蜀村店，十二里龙神堂。自是硐谷春淙，林樾雄深。小憩华严院。过青竹桥，峨眉新观路口，梅树桠，两①龙堂，至中峰院。院有普贤阁，回环十七②峰绕之，背倚白崖峰，右傍最高而峻挺者曰呼应峰。下有茂真尊者庵，人迹罕至，孙思邈隐于峨眉，茂真在时，常与孙相呼相应于此云。出院过樟木、牛心二岭及牛心院路口，至双溪桥。乱山如屏簇，有两山相对，各有一溪出焉。并流至桥下，石堑深数十丈，窈然沉碧，飞湍喷雪。奔出桥外，则入岑蔚中，可数十步，两溪合为一，以投大壑。渊渟凝湛①，散为溪滩，滩中悉是五色及白质青章石子，水色麹尘，与石色相得，如铺翠锦，非摹写可具。朝日照之，则有光彩发溪上，倒射岩壑，相传以为大士小现也。牛心寺，三藏师继业自西域归过此，将开山，两石斗溪上，揽得其一，上有一目，端正透底，以为宝瑞，至今藏寺中。此水遂名宝现溪。自是登危磴，过菩萨阁，当道有榜曰"天下大峨山"。遂至白水普贤寺。自县至此，步步皆峻坂，四十余里，然始是登峰顶之山脚耳。

甲午。宿白水寺。大雨，不可登山。谒普贤大士铜像，国初勅成都所铸。有太宗、真宗、仁宗三朝所赐御制书百余卷，七宝冠，金珠璎珞，袈裟，金银瓶、钵、奁、炉、匙、箸、果垒，铜钟、鼓、锣、磬，蜡茶塔，芝草之属；又有崇宁中宫所赐钱幡及织成红幡等物甚多。内仁宗所赐红罗紫绣袈裟，上有御书发愿文曰："佛法长兴，法轮常转，国泰民安，风雨顺时，干戈永息，人民安乐，子孙昌盛，一切众生，同登彼岸。嘉祐七年十月十七日福宁殿御札记。"次至经藏，亦朝廷遣尚方工作宝藏也。正面为楼阙，两傍小楼夹之，钉铰皆以碖石，极备奇靡。相传纯用京师端门之制。经书则造于成都，用碧硾纸，销银书之。卷首悉有销金图画，各图一卷之事。经帘织轮相、铃、杵器物，及"天下太平"、"皇帝万岁"等字于繁花缛叶之中，今不复见此等织文矣。次至三千铁佛殿，云普贤居此山，有三千徒众共住，故作此佛。冶铸甚朴拙。是日设供，且祷于大士，勾三日好晴以登山。

乙未。大霁。遂登上峰。自此至峰顶光相寺、七宝岩，其高六十里，大略去县中平地不下百里。又无复蹂磴，斫木作长梯，钉岩壁，缘之而上。意天下登山险峻无此比者。余以健卒挟山轿强登，以山丁三十夫曳大绳行前挽之。同行则用山中梯轿。出白水寺侧门，便登点心山，言峻甚，足膝点于心胸云。过茅亭觜、石子雷、大小深坑、骆驼岭、簇店。凡言"店"者，当道板屋一间，将有登山客，则寺僧先遣人煮汤于店，以俟蒸炊。又过峰门、罗汉店、大小扶捔、错喜欢、木皮里、胡孙梯、雷洞平。凡言"平"者，差可以托足之处也。雷洞者，路在深崖万仞，磴道缺处则下瞰沉黑若洞然；相传下有渊水，神龙所居，凡七十二洞，岁旱则祷于第三洞；初投香币，不应，则投死彘及妇人弊履之类以枨触之，往往雷风暴发。峰顶光明岩上所谓兜罗绵云，亦多出于此洞。过新店、八十四盘、娑罗平。娑罗者，其木叶如海桐，又似杨梅，花红白色，春夏间开，惟此山有之。初登山半即见之，至此满山皆是。大抵大峨之上，凡草木禽虫，悉非世间所有。昔固传闻，今亲验之。余来以季夏，数日前雪大降，木叶犹有雪渍斓斑之迹。花之异，有如八仙而深紫，有如牵牛而大数倍，有如蓼而浅青。闻春时异花尤多，但是时山寒，人鲜能识之。草叶之异者亦不可胜数。山高多风，木不能长，枝悉下垂；古苔如乱发，鬖鬖挂木上，垂至地，长数丈。又有塔松，状似杉而叶圆细，亦不能高，重重偃蹇如浮图，至山顶尤多。又断无鸟雀，盖山高飞不能上。自娑罗平过思佛亭、软草平、洗脚溪、遂极峰顶。光相寺亦板屋数十间，无人居，中间有普贤小殿。以卯初登山，至此已申后。初衣暑绤，渐高渐寒，到八十四盘则骤寒，比及山顶，亟挟纩两重，又加毳衲驼茸之裘，尽衣笥中所藏，系重巾，蹑毡鞾，犹凛凛不自持，则炽炭拥炉危坐。山顶有泉，煮米不成饭，但碎如砂粒，万古冰雪之汁不能熟物。余前知之，自山下携水一缶来，财自足也。移顷，冒寒登天仙桥，至光明岩炷香。小殿上木皮盖之，王瞻叔参政尝易以瓦，为雪霜所薄，一年辄碎，后复以木皮易之，翻可支二三年。人云佛现悉以午，今已申后，不若归舍，明日复来。逡巡，忽云出岩下傍谷中，即雷洞山也。云行勃勃如队仗，既当岩，则少驻。云头现大圆光；杂色之晕数重，倚立相对；中有水墨影，若仙圣跨象者。一碗茶顷，光没，而其傍复现一光如前。有顷，亦没。云中复有金光两道，横射岩腹，人亦谓之小现。日暮，云物皆散，四山寂然。乙夜灯出，岩下遍满，弥望以千百计。夜寒甚，不可久立。

丙申复登岩眺望岩后岷山万重少北则瓦屋山在雅州少南则大瓦屋近南诏形状宛然瓦屋一间也小瓦屋亦有光相谓之辟支佛现此诸山之后即西域雪山崔嵬刻削凡数十百峰初日照之雪色洞明如烂银晃耀曙光中此雪自古至今未尝消也山绵延入天竺诸蕃相去不知几千里望之但如在几案间瑰奇胜绝之观真冠平生矣复诣岩殿致祷俄氛雾四起混然一白僧云银色世界也有顷大雨倾注氛雾辟易僧云洗岩雨也佛将大现兜罗绵云复布岩下纷郁而上将至岩数丈辄止云平如玉地时雨点有余飞俯视岩腹有大圆光偃卧平云之上外晕三重每重有青黄红绿之色光之正中虚明凝湛观者各自见其形于虚明之处毫厘无隐一如对镜举手动足影皆随形而不见傍人僧云摄身光也此光既没前山风起云驰风云之间复出大圆相光横亘数山尽诸异色合集成采峰峦草木皆鲜妍绚茜不可正视云雾既散而此光独明人谓之清现凡佛光欲现必先布云所谓兜罗绵世界光相依云而出其不依云则谓之清现极难得食顷光渐移过山而西左顾雷洞山上复出一光如前而差小须臾亦飞行过山外至平野闲转徙得得与岩正相值色状俱变遂为金桥大略如吴江垂虹而两圯各有紫云捧之凡自午至未云物净尽谓之收岩独

金桥现至酉后始没同登峰顶者幕客简世杰伯隽杨光商卿周杰德俊万进士虞植子建及家弟成绩今日复有同年杨愗伯勉幕客李嘉谋良仲自夹江来甫至而光现

丁酉下山始登山时虽跻攀艰难有绳曳其前犹险而不危下山时虽复以绳绁舆后梯斗下舆夫难著脚既险且危下山渐觉暑气以次减去绵衲午至白水寺则缔绤如故闻昨暮寺中大雷雨峰顶夕阳快晴元不知也幕客范谟季申郭明复中行杨辅嗣动石湖集作商卿皆自汉嘉来会而不及余于峰顶食后同游黑水过虎溪桥奔流激湍大略似双溪而小不及始开山僧自白水寻胜至此溪涨不可渡有虎蹲伏其傍因遂跨之乱流以济故以名溪白黑二水皆以石色得名黑水前对月峰栋宇稍洁宿寺中东阁

秋七月戊戌朔离黑水复过白水寺前渡双溪桥入牛心寺雨后断路白云峡水方涨碧流白石照人肺肝如层冰积雪篮舆下行峡浅处以入寺飞涛溅沫襟裾皆濡境过清毛发尽竦寺对青莲峰有白云青莲二阁最佳牛心本孙思邈隐居相传时出诸山寺中人数见之小说亦载招僧诵经施与金钱正此山故事有孙仙炼丹灶在峰顶及淘朱泉在白云峡最深处去寺数里水深不可涉独访丹灶灶傍多奇石祠堂后一石尤佳可以箕踞宴坐名玩丹石寺有唐画罗汉一板笔迹超妙眉目津津欲与人语成都古画浮图像最多以余所见皆出此下蜀画胡僧惟卢楞迦之笔为第一今见此板乃知楞迦源流所

自余十五板亡之矣……

出牛心复过中峰之前入新峨眉观自观前山开新路极峻斗下冒雨以游龙门竭蹙数里㰥<sup></sup>至一处涧溪自两山石门中涌出是为龙门峡也以一叶舟棹入石门两岸千丈岩壁石如碧玉刻削光润入峡十余丈有两瀑布各出一岩顶相对飞下嵌根有盘石承之激为飞雨溅沫满峡舟过其前衣皆沾洒透湿又数丈半岩有圆龛去水可二丈以木梯升之即龙洞也峡中绀碧无底石寒水清非复人世舟行数十步石壁益峻水益湍亟回棹舟人云前去更奇以雨大作加飞瀑沾濡暑肌起粟骨惊神懔凛<sup>②</sup>平其不可以久留也昔尝闻峨眉双溪不减庐山三峡前日过之真奇绝及至龙门则双溪又在下风盖天下峡泉之胜当以龙门为第一要之游者自知未之游者必以余言为过然其路险绝乱石当道将至峡必舍舆蹑草履经营跬步于槎牙兀臬中方至峡口盖大峨峰顶天下绝观蜀人固自罕游而龙门又胜绝于山间游峨眉者亦罕能到非好奇喜事忘劳苦而不惮疾病者不能至焉复寻大路出山初夜始至县中

己亥发峨眉晚至嘉州

①一作"雨"。　②一作"十二"。　③一作"潀湛"。


## 作者及篇题

范成大（一一二六——一一九三），字致能，自号石湖居士，宋朝吴郡人。工诗文，与陆游（放翁）、杨万里（诚斋）齐名。

宋高宗绍兴年间中进士，历官吏部礼部郎官。孝宗隆兴初出使金国，不辱使命。嗣知静江府（今桂林），迁四川制置使，拜参知政事。光宗绍熙初年卒。著作有《石湖集》、《揽辔录》、《桂海虞衡志》等。《吴船录》记他罢帅后从四川回吴的行程，这里节录的是他路过嘉州，游峨眉山的一段。《吴船录》的头上说，"石湖居士以淳熙丁酉岁五月二十九日戊辰离成都"，末后说"十月己巳至平江（今吴县）"，路上走了差不多半年，当时的旅行是很艰难的。丁酉是孝宗淳熙四年。

## 音义

　　【丁亥……辛卯】六月十九至二十三。以后逐日皆记干支，至篇末己亥为七月二日。用干支记年月日的次序是中国古代的记时法，纪年体的史书里常常只记日之干支而不记出第几日，作者就是模仿这种史书。　　【嘉州】今四川乐山县（旧嘉定府）。【霄】～汉，天际。　　【普贤大士】佛教著名菩萨，与文殊齐名。大士为菩萨之别称。　　【示现】佛教术语，谓佛与菩萨本已离去世间，但应机缘而显示其形象。　　【济】渡过。　　【其源自巂州邛部合大渡河】峨眉山及其西诸山是青衣江和大渡河的分水岭，山北的水入青衣江，山南的水入大渡河，两条河在近乐山处会合而入岷江。从乐山到峨眉的路上渡过的是青衣江，这里说即雅州江，是对的。底下说源出巂州（隋唐旧名，宋属大理国，州治在今西昌县）邛部（隋唐县名，今越巂县），合大渡河，似乎指大渡河的支流越巂河，这是不对的。

【市井】街市。 【遝 tà】众多。 【壮县】大县。 【索手】空手。 【意者】猜想起来。 【祓 fú】除（秽恶，不祥等）。

【硐】≡涧。 【舂淙 chōng cóng】水流淙淙如捣米声。【樾 yuè】树阴。 【尊者】佛教术语，谓年高德重为人所尊，常用作罗汉的尊称。 【孙思邈】隋唐之际的道教名人，隐居太白山，卒年百余岁。通百家说，善言老庄，精于阴阳、推步、医药之学，所著《千金方》为中医要籍。史书上没有说他到过峨眉山。 【堑 qiàn】沟。 【沉碧】深绿。 【湍 tuān】激流。 【岑 cén 蔚】树木高而密。 【渊渟凝湛】水停滞而清澈貌。渊：水出地而不流。渟：水止。湛 (zhàn)：澄清。 【白质青章】白地青花。 【麴 qū 尘】淡黄，如酒麴碎末之色。 【大士】指普贤。 【三藏师】尊称精通佛教经典的和尚。佛教的著作，分经、律、论三藏。 【继业】俗姓王，耀州人，在东京天寿院出家。宋太祖乾德二年（九六四）派三百个和尚到印度去求舍利及佛经，继业在内。他直到开宝九年（九七六）才回来。回来以后就在峨眉山上结了个茅庵，后来扩建成寺院。 【磴 dèng】石级。 【榜】匾额。 【坂 bǎn】坡。（≡阪。）

【璎珞 yīng luò】项链。 【奁 lián】匣子。（≡匳。）【果垒、茶塔】疑是果盘与茶叶匣子。 【崇宁】宋徽宗年号。【中宫】皇后。 【钱幡】疑是"锦幡"之误。幡≡旛。 【织成】彩色丝织物。 【法轮】佛教术语，佛之说法能摧破众生之恶，故譬为轮。 【彼岸】佛教术语，谓证正果得涅槃之境界。

【经藏 zàng】藏经楼。　【尚方】官名，汉少府属官，掌制作刀剑及玩好器物。宋代无此官，作者袭用古名以指职司宫内营造杂作之官。　【楼阙】上有楼，旁有壁，中阙为门。　【碯】石名。（≡硇。）　【端门】皇宫正门。　【硾 zhuì】捣（与"捶 chuí"义同音异）。　【销银、销金】以金银粉和于胶液，供书画用。【经帙】经卷之函帙。　【轮相】塔顶之轮盖，通常九层相重。【设供 gòng】上祭。　【匄】≡丐。　【梯轿】以两竹竿中络以绳为轿，形如梯。今名"滑竿"。　【汤】热水。　【擙 yú】举。【香币】香烛纸钱。　【㧐触】触动。　【兜罗绵】印度等地一种木棉类树所产之棉。"兜罗"是译音。　【八仙】即绣球花。【鬖 sān 鬖】须发下垂貌。　【偃蹇 yǎn jiǎn】高立貌。【绤 xì】夏布。　【挟纩 xié kuàng】穿棉衣。　【毳 cuì】细羊毛。　【衲】僧衣。　【茸 róng】兽毛之细软者（今多借用"绒"字）。　【衣笥】衣箱。笥（sì）：盛衣竹器。　【巾】帽子。　【蹑 niè】穿（鞋）。　【鞾】≡靴。　【不自持】支持不住。　【缶 fǒu】瓦壶。　【财】才。　【移顷】过了一刻。【炷 zhù】烧（香）。【王瞻叔】名之望，宋谷城人。　【薄】侵蚀（本义为逼）。　【逡 qūn 巡】迟回却退。　【队仗】队伍仪仗。　【水墨影】影如水墨画（不用勾勒，仅以墨色渲染分别浓淡者）。　【仙圣跨象】佛教画像中，文殊骑狮，普贤跨象。　【乙夜】二更时。（《汉旧仪》：夜漏起，省中黄门持五夜，甲夜毕传乙夜，乙夜毕传丙夜……是为五"更"。后世惟"乙夜"、"丙夜"常见于文字。）【弥望】满眼，一眼看去。

【岷山】今名大相岭，通称大雪山。　【雅州】今雅安县。
【南诏】国名，建国于唐代中叶，五代时为大理国，终宋之世不
内属，后为蒙古所灭。国境有今云南省及四川省西南部，国都在
今大理县。　【光相】即上节所云"佛现"，今称为"佛光"。
【辟支佛】佛教术语。辟支迦佛陀之略，义为独觉，用以称身出
无佛之世，好道潜修，自然独悟者。　【烂银】明亮的银子。
【辟易】惊退。　【郁】盛貌。　【绚 xuàn】彩色成花纹。　【茜
qiàn】鲜明。　【得得】本来形容马蹄声，这里借来形容云行如
马之缓步。　【吴江】即吴淞江。　【垂虹】桥名。在今吴江县
境，桥甚长，有七十二孔，旁有亭名垂虹，世人并以此名桥，俗
名长桥。　【圯 yí】桥塌，桥头。　【夹江】今四川省夹江县。
【幕客】幕府中的僚属。幕府本来指将帅的衙署（军旅出行用帐
幕），后来也指文职官署。　【简世杰伯隽】世杰是名，伯隽是
字（以下诸人同此）。

　　【斗】"陡"本字。　【绤 chī】夏布。《诗传》："精曰绤，
粗曰绤。"【快晴】大晴天。快：称心。　【汉嘉】后汉～～县，
蜀～～郡，晋以后废，在今雅安境。这里大概就指的雅州，作者
用古地名。　【寻胜】寻访胜景。　【乱流】横断其流而直渡。
【栋宇】房屋。　【层冰】重重叠叠的冰。　【篮舆】竹轿。
【裾】前襟。（与"襟"同义。）　【濡 rú】沾水而湿。　【竦
sǒng】竖起来。　【淘朱泉】朱谓朱砂。（≡硃。）　【箕踞】伸
两脚而坐。　【宴坐】安坐。　【唐画罗汉一板】大概是刻石，故
曰一板。　【津津】有味。　【浮图】佛（与上文"偃蹇如浮图"

217

作塔讲者有别）。　【卢楞迦】唐人，名画家吴道子弟子，精画佛像山川。　【余十五板】罗汉之数本只十六，宋人始作十八。

【竭蹶】跌跌冲冲的赶路。（蹶≡蹷。）　【歘 xū】忽然。（≡欻。）　【绀 gàn】天青色。　【雨大作】雨下得大。　【加】加以。　【起粟】起鸡皮疙瘩。　【悚 sǒng】惧。（≡竦。）【庐山三峡】庐山有三峡涧，在栖贤谷，谷多大石，水渗石隙，倚山奔流，有瀑布高十余丈，下为玉渊潭。　【在下风】赶不上，不及。　【经营】规度。　【跬 kuǐ 步】半步，小步。　【槎 chá 牙】峻险突兀貌。（＝嵯峨。）　【兀臬 wù niè】摇动不安。

## 讨论

1. 游记多用日记体，本篇是其一例。读者以前读过几篇游记？是否用日记体？有用别种写法的没有？

2. 作者着力描写的名胜有几处？哪些是自然风景，哪些是艺术成就？

3. 作者如何描写双溪？如何描写龙门？这两处的同异如何？

4. 作者如何描写"佛光"？这个现象在物理学上应该如何解释？何以"佛现悉以午"？何以"光相依云而出"？"清现"又是什么道理？

5. "山顶有泉，煮米不成饭"，这是什么缘故？作者说是因为"万古冰雪之汁不能熟物"，对不对？作者又说带山下的水上山，煮饭便成，靠得住靠不住？

6. 作者如何描写山中花木之异？何以高山多有不经见之

植物?

7. 解释底下的词语：（1）遣近送人马归者十九；（2）乱山如屏簇；（3）飞湍喷雪；（4）水色麹尘，与石色相得；（5）炽炭拥炉危坐；（6）瑰奇胜绝之观，真冠平生矣；（7）氛雾四起，混然一白；（8）雨点有余飞；（9）险而不危；（10）碧流白石，照人肺肝，如层冰积雪；（11）眉目津津，欲与人语；（12）暑肌起粟，骨惊神慄。

## 二十九　绝句十八首

春晓　　　　　　　　　　　　　　　　　　　孟浩然

春眠不觉晓，处处闻啼鸟。夜来风雨声，花落知多少。


登鹳雀楼　　　　　　　　　　　　　　　　　王之涣

白日依山尽，黄河入海流。欲穷千里目，更上一层楼。


鸟鸣硐　　　　　　　　　　　　　　　　　　王维

人闲桂花落，夜静春山空。月出惊山鸟，时鸣春涧中。


行宫　　　　　　　　　　　　　　　　　　　王建

寥落古行宫，宫花寂寞红。白头宫女在，闲坐说玄宗。


江雪　　　　　　　　　　　　　　　　　　　柳宗元

千山鸟飞绝，万径人踪灭。孤舟蓑笠翁，独钓寒江雪。


渡汉江　　　　　　　　　　　　　　　　　　李频

岭外音书绝，经冬复立春。近乡情更怯，不敢问来人。

回乡偶书　　　　　　　　　　　　　　　　　贺知章

少小离家老大回，乡音无改鬓毛衰。

儿童相见不相识，笑问客从何处来。


送元二赴安西　　　　　　　　　　　　　　　　王维

渭城朝雨浥轻尘，客舍青青柳色新。

劝君更尽一杯酒，西出阳关无故人。


早发白帝城　　　　　　　　　　　　　　　　　李白

朝辞白帝彩云间，千里江陵一日还。

两岸猿声啼不住，轻舟已过万重山。


除夜　　　　　　　　　　　　　　　　　　　　高适

旅馆寒灯独不眠，客心何事转凄然。

故乡今夜思千里，霜鬓明朝又一年。


漫成一绝　　　　　　　　　　　　　　　　　　杜甫

江月去人只数尺，风灯照夜欲三更。

沙头宿鹭联拳静，船尾跳鱼拨剌鸣。


逢入京使　　　　　　　　　　　　　　　　　　岑参

故园东望路漫漫，双袖龙钟泪不干。

马上相逢无纸笔，凭君传语报平安。


枫桥夜泊　　　　　　　　　　　　　　　　　　张继
月落乌啼霜满天，江枫渔火对愁眠。
姑苏城外寒山寺，夜半钟声到客船。


滁州西涧　　　　　　　　　　　　　　　　　　韦应物
独怜幽草涧边生，上有黄鹂深树鸣。
春潮带雨晚来急，野渡无人舟自横。


秋思　　　　　　　　　　　　　　　　　　　　张籍
洛阳城里见秋风，欲作家书意万重。
复恐匆匆说不尽，行人临发又开封。


乌衣巷　　　　　　　　　　　　　　　　　　　刘禹锡
朱雀桥边野草花，乌衣巷口夕阳斜。
旧时王谢常前燕，飞入寻常百姓家。


渡桑干　　　　　　　　　　　　　　　　　　　贾岛
客舍并州已十霜，归心日夜忆咸阳。
无端更渡桑干水，却望并州是故乡。

山行　　　　　　　　　　　　　　　　　　　　　杜牧

远上寒山石径斜，白云生处有人家。

停车坐爱枫林晚，霜叶红于二月花。


## 作者、篇题及音义

春晓

【孟浩然】（六八九一七四○）唐襄阳人。少时隐居鹿门山，后来曾一度出来做过小官。擅长五言诗，尤工古体。

登鹳雀楼

【王之涣】（六九五一？）唐并州人。天宝中与王昌龄、高适等倡和，名重一时。　【鹳雀楼】在今山西省永济县（唐蒲州）西南城上。从前楼在黄河中高阜处，时有鹳雀栖其上，故名。鹳雀，水鸟，形似鹤与鹭。

鸟鸣磵

【王维】（七○一一七六一）字摩诘，唐河东人。开元九年中进士，官至尚书右丞，后世称王右丞。工诗，善画，又谙乐律。　【《鸟鸣磵》】这是《皇甫岳云溪杂题》里的一首，是题他的朋友的别墅里的景致的。（磵≡涧）

行宫

【王建】（七六八一八三○？）字仲初，唐颍川人。大历年进士，尝从军塞上，官至陕州司马。他的诗多写当时社会风俗，所作《宫词》尤有名。《行宫》这首诗一本作元稹作。　【行宫】皇帝出行时所住之处。

江雪

【柳宗元】（七七三—八一九）字子厚，唐河东人。贞元时
进士，官监察御史，后来因为党派关系贬永州司马，迁柳州刺
史，死于任所。文与韩愈齐名，诗亦高古。

渡汉江

【李频】（八一八?—八七六）字德新，唐寿昌人，大中时
进士，官至建州刺史。《渡汉江》这首诗一作宋之问作。【汉
江】即汉水。 【岭外】五岭之外，同"岭南"，皆指广东。

回乡偶书

【贺知章】（六七七—七四四）字季真，唐会稽人，官至秘
书监。天宝初辞官请为道士，还乡，以所居为千秋观。好饮酒，
又善草书。

送元二

【安西】唐太宗平高昌，置安西都护府，在今新疆维吾尔自
治区吐鲁番县境。 【渭城】咸阳县汉时尝改名渭城，其后又复
本名。【朝 zhāo】不读 cháo。 【浥 yì】润湿。 【阳关】在今
甘肃省敦煌县境。

早发白帝城

【李白】（七〇一—七六二）字太白，唐代大诗人，与杜甫
齐名。关于这首诗的内容，《水经注》里有一段记载可供参考：
"自三峡七百里中，两岸连山，略无阙处。……或王命急宣，有
时朝发白帝，暮到江陵，其间千二百里，虽乘奔御风不以疾
也。……常有高猿长啸，属引凄异，空谷传响，哀转久绝。"
【白帝城】在今四川省奉节县东，城在山巅，故诗云"彩云间"。

【江陵】唐江陵府，今湖北省江陵县。

除夜

【高适】（七〇二？—七六五）字达夫，唐渤海人，官至西川节度使，转散骑常侍，后世称高常侍。　【除夜】除夕。【霜鬓】鬓白如经霜。

漫成

【杜甫】（七一二—七七〇）字子美，唐襄阳人，官至工部员外郎，后世称杜工部，一般认为是唐代最伟大的诗人。　【漫成】随随便便写出来的。　【风灯】避风的灯、灯笼之类。　【联拳】蜷缩貌。谢庄《玩月》诗："水鹭足～～。"【拨刺】象声词，始见于谢灵运赋："鱼水深而～～。"

逢入京使

【岑参】（七一五—七七〇）唐南阳人，官至嘉州刺史。他在西北边疆很久，所以多咏边塞之事。　【龙钟】拟态词，形容潦倒笨拙之状。现在几乎只用来形容老年人的迟笨。

枫桥夜泊

【张继】唐襄州人，天宝进士，大历中官检校祠部员外郎。【枫桥】在今江苏省苏州市西郊。　【姑苏】苏州古名。【寒山寺】在枫桥，相传唐诗僧寒山与拾得尝住此，故名。

滁州西涧

【韦应物】（七三六—七九〇？）唐长安人，德宗时官苏州刺史。　【滁州】今安徽省滁县。

秋思

【张籍】（七六八—八三〇？）字文昌，唐吴郡人，贞元进士，官至国子司业。

乌衣巷

【刘禹锡】（七七二—八四二）字梦得，唐彭城人，贞元进士，官监察御史，后来因党派关系，贬连州刺史，又后入为太子宾客。与白居易、元稹友善，多唱和之作。 【乌衣巷】在南京城内，近朱雀桥，东晋时王谢等贵族居此，其子弟皆乌衣，故名。 【朱雀桥】即今中华门内镇淮桥。晋时桥在朱雀门（皇城南门）之南，故名。

渡桑干

【贾岛】（七七九—八四三）字浪仙，唐范阳人。曾经做过和尚，韩愈赏识他的诗，叫他还俗应考，几次都没有考上，后来只做了个长江县主簿。他的诗非常枯涩，跟孟郊齐名，称为"郊寒岛瘦"。 【桑干】河名，即今永定河。 【并州】唐并州即今太原。 【十霜】十年。 【无端】没来由。

山行

【杜牧】（八〇三—八五二）字牧之，唐京兆万年人，太和进士，官中书舍人。后世多称之为小杜，称杜甫为老杜。


## 诗体略说

从唐朝起，中国诗里就分别"古体"和"近体"，我们前边读过的《越谣歌》、《陌上桑》、《无家别》等都是古体，这里的"绝句"和三十二课的"律诗"就都属于近体，"绝句"的"绝"字应该怎么讲，从前的人也没有一定的说法。有人说"绝"

是"截"的意思，是截取律诗的一半（或前半，或后半，或中间四句，或前后四句）而成。就诗的格式说，这个说法自然也有它的便利处，可是从历史上说，绝句产生在律诗之前，晋宋的《子夜歌》等都是五言四句，齐梁之后七言四句的诗也出现了，那个时候律诗的体制还没有确立，哪里谈得到"截取"？

绝句通用的格律如下：

甲式

（平　平）仄　仄　㊀平　平　仄
　　　　　　　　㊁仄　平　平（韵）

（仄　仄）平　平　仄　仄　平（韵）

（仄　仄）平　平　平　仄　仄

（平　平）仄　仄　仄　平　平（韵）

乙式

（仄　仄）平　平　㊀平　仄　仄
　　　　　　　　㊁仄　仄　平（韵）

（平　平）仄　仄　仄　平　平（韵）

（平　平）仄　仄　平　平　仄

（仄　仄）平　平　仄　仄　平（韵）

说明：（1）甲式除去括号内两字是"仄起平韵"的五言绝句，加入括号内两字是"平起平韵"的七言绝句。乙式是"平起平韵"的五言绝句和"仄起平韵"的七言绝句。（2）第一句或不押韵㊀，或押韵㊁，大抵五绝不押韵为常，七绝押韵为常。（3）上面的格式是押平声韵的，另有押仄声韵的，格律较近于古诗。大概说来，五绝以仄起平韵为最多，平起平韵次之，仄声韵也不少；七绝仄起和平起大略相等，都是平声韵，仄声韵极少。（4）从上面的格式可以看出，近体诗的格律以平仄相间为唯一的原则。一句之内，两个平声之后继以两个仄声，或两个仄声之后继以两个平声，有时三个平声或三个仄声相接，但不容许有三个以上的同声的字相连。句与句之间则单数句与双数句平仄完全相对（除非单数句押韵），次一单数句与上一双数句前半相同（术语称为"粘"），后半相反（但是因为有不得有四个同声字相连的限制，末第二字是相同的）。这样，形成了匀称而又错综的音节。（5）很少有诗是一字不差地符合上面的格式的，大概说来，每句的双数字的平仄比较严，单数字的平仄比较宽，因此从前人有"一三五不论，二四六分明"之说，其实一三五也不是可以完全不论的，例如"仄仄仄平平"不能作"仄仄平平平"。（6）不合于上述的格式的诗句，通常称为"拗句"，全篇皆拗句，或应对处不对，应粘处不粘的，称为"拗体"。押仄声韵的大率都是拗体。

以上说的是声律方面。就句法方面说，古体诗是不讲究对仗的，虽然有时候也插入两句。近体诗里，律诗是讲究对仗的，绝句则以不对为常，间或一二两句相对，或三四两句相对，通篇相对的很少。

## 讨论

1. 《春晓》第一句直说睡醒，第二句记即时所闻，第三句回忆夜来风雨，第四句想象花落。这个层次怎么样？为什么只说听见什么，不说看见什么？

2．"白日依山尽"怎么讲？"欲穷千里目"怎么讲？

3．"人闲"和"花落"有什么关系？"夜静"和"山空"有什么关系？"月出"何以会"惊山鸟"？

4．"宫花寂寞红"，这一句在全篇里有什么作用？白头宫女为什么"说玄宗"？唐玄宗的时代为什么常常被文学家用来做题材？它是一个怎样的时代？

5．《江雪》这首诗给你一个怎样的印象？"独钓寒江雪"怎么讲？钓的是雪吗？

6．"近乡情更怯"怎么讲？"不敢问来人"，问什么？为什么又不敢问？

7．《回乡偶书》第一句标明主题，第二句有什么作用？第三、四句有什么作用？

8．《送元二》这首诗是送别诗，作者用什么理由劝他的朋友多喝一杯酒？头两句十四个字里，时、地、季节、景色都有了，写来非常经济。试依"渭城—客舍—朝—雨—尘—柳"的次序，把这两句的意思用现代散文写出来。

9．《早发白帝城》这首诗给我们描画了一个什么景象？这首诗显然利用了《水经注》里的一段文字，这妨碍不妨碍它成为一首好诗？

10．《除夜》的感伤的情调是由时和地两个因素交织而生的，哪一句写时？哪一句写地？

11．《漫成》是歌咏当前的景物的，作者要留给我们的印象是什么？跟《江雪》比较起来怎么样？

12.《逢入京使》的作者为什么"双袖龙钟泪不干"？"凭君传语"是传给谁？

13.《枫桥夜泊》哪两句写"夜"？哪两句写"泊"？事实上是客船上半夜里听到僧寺里的钟声，为什么诗人要说成"夜半钟声到客船"？这两种说法的效果有没有差别？

14.《滁州西涧》也是写水边景物的诗，给读者的印象是什么？和《漫成》一样不一样？

15.《秋思》的后二句和《逢入京使》的后二句有异曲同工之妙，一个是要写信而写不成，一个是写了又拆开来添两句，两者都似乎出语甚奇，而同样亲切，因为都是人人的经验。

16.《乌衣巷》的主题是什么？点明了没有？

17.《渡桑干》的作者是不是真把并州当故乡？他为什么要这样说？

18.《山行》除写景外还写了什么没有？枫叶应该是上山就看见的，为什么留在末一句写？

19.试把这十八首诗就题材分成几类，如"写景"、"思乡"……等等，然后在同类里面比较各诗的章法。

20.文艺作品，尤其是诗，都是利用外界的物象抒写作者的情感的，从前人用"情"和"景"这两个术语来代表，这个"景"是广义的，等于"环境"或"情况"。大多数作品都是先写"景"，后抒"情"；也有变更次序，先"情"后"景"的；也有参差错落，"情景交融"的；也有通篇是"景"，"情"的部分全凭暗示，所谓"尽在不言中"的。试从这个角度去欣赏每一首诗。

21. 试检验这些绝句的格律：哪几首是平声韵？哪几首是仄声韵？哪几首的第一句押韵？哪几首是平声起？哪几首是仄声起？（都以第二字为准。）一首里头有哪几个字的平仄不合于前述的格式？哪几首该算是拗体？

22. 从句法上看，哪几首一二两句相对？哪几首三四两句相对？哪几首通篇相对？

## 三十 梦溪笔谈[选录]　沈括

### 刘晏计物价

刘晏掌南计，数百里外物价高下，即日知之。人有得晏一事，予在三司时，尝行之于东南。每岁发运司和籴米于郡县，未知价之高下，须先具价申禀，然后视其贵贱，贵则寡取，贱则取盈。尽得郡县之价，方能契数行下；比至，则粟价已增，所以常得贵售。晏法则令多粟通途郡县，以数十岁籴价与所籴粟数高下，各为五等，具籍于主者（今属发运司）。粟价才定，更不申禀，即时廪收。但第一价则籴第五数，第五价则籴第一数，第二价则籴第四数，第四价则籴第二数，乃即驰递报发运司。如此，粟贱之地自籴尽极数，其余节级各得其宜，已无枉售。发运司仍会诸郡所籴之数计之：若过于多，则损贵与远者；尚少，则增贱与近者。自此粟价未尝失时，各当本处丰俭。即日知价，信皆有术。

### 作者及篇题

沈括（一〇三〇——一〇九四），字存中，宋嘉祐八年进士，熙宁中官至翰林学士龙图阁待制。晚年住家在润州（今江苏镇江），称自己所住之地为"梦溪"。他的学问非常博洽，不独熟悉历朝掌故和当时的政治经济情形，对于天文、物理、律历、音乐、医药、卜算等等所谓"杂学"，也无所不通，一看他的名著《梦溪笔谈》便可以知道。《笔谈》共二十六卷，依题材分类，在宋人笔记里是极有实用价值的一种。原书无篇题，各篇的题目是编者加的。

## 音义

【刘晏】唐中叶人，历官肃、代、德三朝，领度支、盐铁、租庸、常平等使，同中书门下平章事，精神明敏，为一代能臣。安史乱后，民生凋敝，国用窘乏，卒赖晏力，渐得苏复。　【掌】执掌，主管。　【南计】理财有赖于计算，故国家之财政称"国计"，汉张苍为"计相"，宋三司号"计省"，经济学初入中国时亦有人译"计学"。但何以称"南计"，未详，或因尚书省别称"南省"。另据《类苑》作"国计"。　【三司】唐于户部外置盐铁、度支等使。后唐以盐铁、度支、户部为三司，天下财计皆归之，署三司使总之。宋初沿其制，元丰改官制，始罢三司，归户部。沈括熙宁中拜翰林学士，权三司使。　【发运司】宋设发运使，掌经度山泽财货之源，漕运淮、浙、江、湖六路储廪，以输汴京。　【和籴】出官钱以籴民粟，谓之"和籴"，犹今之"征购"。其制始于北魏，唐宋皆行之。　【申禀】呈报。"申"和"禀"都是下级告知上级的意思。　【取盈】取足。　【契数】核定数额。　【行下】行文下郡县。　【贵售】高价。　【具籍】

存案。籍：簿籍。 【主者】主管的机关。 【廪收】入仓。廪：米仓。 【驰递】用快马送信。 【节级】等级。 【已无枉售】已经没有出价过高之事。 【会】综合。 【损】减少。 【失时】错过时机。 【各当本处丰俭】即贵者少籴，贱者多籴之意。 【信】确实。

## 讨论

1. "第一价则籴第五数，第五价则籴第一数"数句之意完全了解否？此为本篇所记和籴法之要点。

2. "粟价未尝失时，各当本处丰俭"，两语概括此法之优点。然是否可以当"即日知价"四字？在当时之交通情况之下，有无较此更善之办法？

3. "须先具价申禀"，省去的主语是什么？"然后视其贵贱"，省去的主语是什么？

4. "多粟通途郡县"是"多粟而通途之郡县"，还是"多粟郡县与通途郡县"？下文词语有可供参证的没有？


### 范文正荒政

皇祐二年，吴中大饥，殍殣枕路。是时范文正领浙西，发粟及募民存饷，为术甚备。吴人喜竞渡，好为佛事。希文乃纵民竞渡，太守日出宴于湖上，自春至夏，居民空巷出游，又召诸佛寺主首谕之曰："饥岁工价至贱，可以大兴土木之役。"于是诸寺工作鼎兴。又新敖仓吏舍，日役千夫。监司奏劾：杭州不恤荒政，嬉游不节，及公私兴造，伤耗民力。文正乃自条叙：所以宴游及兴造，皆欲以发有余之财，以惠贫者。贸易、饮食、工技、服力之人，仰食于公私者，日无虑数万人。荒政之施，莫此为大。是岁两浙唯杭州晏然，民不流徙，皆文正之惠也。岁饥发司农之粟，募民兴利，近岁遂著为令，既已恤饥，因之以成就民利：此先王之美泽也。

## 音义

【范文正】范仲淹（九八九——一〇五二），宋名臣。希文是他的字，文正是他的谥。 【荒政】救荒之事。 【皇祐】宋仁宗年号，二年是一〇五〇年，已是范公晚年。 【殍殣 piǎo jǐn】殍（≡莩）和殣都是饿死的人。 【领浙西】皇祐初范仲淹以给事中知杭州。北宋时凡知杭州者例兼领两浙西路兵马钤辖。 【募】求，劝。 【存】慰问。 【饷】⑩施送饮食。 【佛事】念佛诵经，超度死者。 【太守】指范文正。～～是汉朝的官名，宋朝只称"知某府或某州事"。 【土木】建筑，营造。 【役】工，劳作。 【鼎兴】鼎，本义"方"、"正"，因"鼎盛"为一常用之熟语，此处遂以"鼎"为"盛"义。 【新】⑩翻新。 【敖仓】敖，地名，秦时以敖地为仓，故称敖仓（《史记》：汉王军荥阳，取敖仓），后人乃以"敖仓"为"仓"义，盖循习之误。 【吏舍】当指州衙。 【监司】宋置诸路转运使，兼带按察之任，谓之监司。 【不恤】不顾。 【服力】从事劳力工作。 【仰食】倚赖以为生。　【无虑】本义为大率，不待计虑而可知也，但通常有"不下"、"不灭"义。　【莫此为大】莫大于此。　【晏然】安静。　【司农】汉有大司农之官，掌钱谷之事，这里借指各地的"常平仓"。　【先王】谓禹、汤、文、武，儒家之理想的君主。　【美泽】优惠，德政。

## 讨论

1. 范文正谓"所以宴游及兴造，皆欲以发有余之财"，何以发有余之财即足以救荒？若使无足食之粟，则即使有余之财，足以疗饥否？救荒之道，不外"输粟就民"与"徙民就粟"之二途，孟子所云"河内凶，则移其民于河东，移其粟于河内"是也。但在私有财产之社会，是否可以任意移其民或移其粟？若不借助于宴游及兴造，有他法可以使粮食出现于市场否？

2. 何谓"工赈"？"工赈"与"施赈"之得失若何？

3. "杭州不恤荒政"句，"杭州"代表"知杭州事"，凡一地之"刺史"、"太守"等等皆可以其地名兼括，此种用法直至清末民初犹然。古时更可附于姓之下，作曾任其职者之别号，如刘备称刘豫州。

4. 解释：（1）枕路；（2）空巷；（3）为术甚备。

### 边防

瓦桥关北与辽人为邻，素无关河为阻。往岁六宅使何承矩守瓦桥，始议因陂泽之地潴水为塞。欲自相视，恐其谋泄。日会僚佐，泛船置酒，赏蓼花；作《蓼花吟》数十篇，令座客属和，画以为图。传至京师，人莫谕其意。自此始壅诸淀。庆历中，内侍杨怀敏复踵为之。至熙宁中，又开徐村、柳庄等淀，皆以徐、鲍、沙、唐等河，叫猴、鸡距、五眼等泉为之原；东合滹沱、漳、淇、易、白等水并大河。于是自保州西北沈远淀，东尽沧州泥枯海口，几八百里，悉为潴潦，阔者有及六十里者。至今倚为藩篱。或谓侵蚀民田，岁失边粟之入。此殊不然。深、冀、沧、瀛间，惟大河、滹沱、漳水所淤，方为美田。淤淀不至处，悉是斥卤，不可种艺。异日惟是聚集游民，刮咸煮盐，颇干盐禁，时为寇盗。自为潴泺，奸盐遂少；而鱼蟹菰苇之利，人亦赖之。

## 音义

【瓦桥关】在今河北省雄县南易水上。 【六宅使】宋皇城诸司使内有六宅使，为武职。 【何承矩】《宋史》附见其父继筠传。承矩自幼随父在军中，有胆勇，习边事。太宗时任河北缘边屯田使，旋知雄州，推诚御众，边政甚效。 【陂泽】陂本谓泽旁之岸。陂泽合称，泛指沼泽之地。 【相 xiàng】视察，如云"相面"。 【泄】≡洩。 【僚佐】属下官吏。 【属和 zhǔ hè】和诗，与原诗用同一题目，同一体制，甚或步其原韵。 属：附。【谕】≡喻，明白。 【壅 yōng】塞。 【淀 diàn】浅水小湖。【庆历】宋仁宗年号（一〇四一——一〇四八）。 【内侍】宦官。

【踵为】追踵其后而为之。 【熙宁】宋神宗年号（一〇六八——一〇七七）。 【洀】≡泊。 【原】≡源。 【大河】黄河。宋代河道与今异，参阅下"合龙门"条注。 【保州】元保定路，明清保定府，今清苑县。 【潴潦】两字皆积水义。 【深、冀、沧、瀛】深州，今深县；冀州，今冀县；沧州，今沧县；瀛州，今河间县。皆在今河北省东南部。 【斥卤】土质含盐分多，不能耕种者。 【艺】种植。 【异日】犹"他日"，皆有过去和未来两义，此用过去义。 【刮咸】盐卤凝着地面，刮取煮炼以为盐。 【奸盐】犹后世云私盐。

**讨论**

　　1. 北宋盛时，虽与辽人通好，仍讲求边防，不遗余力，为什么？

　　2. 深、冀、沧、瀛间何以多斥卤之地？经河水淤淀，何以便成美田？

　　**雄州北城**

　　李允则守雄州。北门外民居极多，城中地窄，欲展北城。而以辽人通好，恐其生事。门外旧有东岳行宫，允则以银为大香炉，陈于庙中，故不设备。一日银炉为盗所攘，乃大出募赏，所在张榜，捕贼甚急。久之不获，遂声言庙中屡遭寇，课夫筑墙围之，其实展北城也。不逾旬而就，虏人亦不怪之。则今雄州北关城是也。大都军中诈谋，未必皆奇策，但当时偶能欺敌而成奇功。时人有语云："用得着，敌人休；用不着，自家羞。"斯言诚然。

## 音义

【李允则】宋真宗时人，历知沧、瀛、雄、奖等州。《宋史》称其"在河北二十余年，事功最多，其方略设施，虽寓于游观亭传间，后人亦莫敢隳"。 【雄州】今河北省雄县。 【攘rǎng】窃取。 【所在】到处，处处。 【张榜】张贴布告。【课夫】征工。 【则今】"则"与"即"古时常通用。

## 讨论

1. 军中诈谋，史传所记甚多，小说中所云"锦囊妙计"亦有可传者，能略举一二否？

2. 下列诸事，有不知者，试查阅史籍或普通参考书：孙膑灭灶，虞诩增灶，范蠡蒸粟，弦高饩牛，孙膑题树，韩信囊沙，李广解鞍，诸葛空城，唱筹量沙（檀道济），缚羊击鼓（毕再遇）。

### 乘隙

濠州定远县一弓手，善用矛，远近皆服其能。有一偷亦善击刺，常蔑视官军，唯与此弓手不相下，曰："见必与之决生死。"一日，弓手者因事至村步，适值偷在市饮酒，势不可避，遂曳矛而斗。观者如堵墙。久之，各未能进。弓手者忽谓偷曰："尉至矣！我与尔皆健者，汝敢与我尉马前决生死乎？"偷曰："诺。"弓手应声刺之，一举而毙，盖乘其隙也。

又有人曾遇强寇斗。矛刃方接，寇先含水满口，忽噀其面，其人愕然，刃已揕胸。后有一壮士，复与寇遇。已先知噀水之事，寇复用之。水才出口，矛已洞颈。盖已陈刍狗，其机已泄，恃胜失备，反受其害。

## 音义

【濠州定远县】濠州，今安徽凤阳县；定远县今同，旧属凤阳府。　【弓手】宋代官役，以捕盗为职，相当于现在的警察。【不相下】不相退让；你不服我，我不服你。　【村步】步（三埠）：码头。　【尉】汉于县令之下置尉，主捕盗贼察奸宄，其后历代相沿，犹今之警察局局长。

【噀 xùn】喷水。　【揕 zhèn】刺。　【已陈刍狗】结刍为狗，巫祝用之。陈：陈列（巫祝藉以作法）。《庄子·天运》："夫刍狗之未陈也，盛以箧衍，巾以文绣，尸祝斋戒以将之。及其已陈也，行者践其首脊，苏者取而爨之而已。"譬喻已经用过的计谋。

## 讨论

1．"乘隙"的"隙"字怎么讲？"其机已泄"的"机"字怎么讲？"洞颈"的"洞"字怎么讲？"健者"，"应声"，怎么讲？

2. 所谓"乘隙"，以现代之心理学言之若何？

3. "势不可避"，"势"谓"于势"，非"不可避"之主语。比较：法无可恕；情有可原。

4. 注意"弓手者"的"者"字之用法。

5. "已陈刍狗"即俗所谓"识破机关"也，见闻中有类此之事否？


## 合龙门

庆历中河决北都商胡，久之未塞。三司度支副使郭申锡亲往董作。凡塞河决，垂合，中间一埽谓之"合龙门"，功全在此。是时屡塞不合。时合龙门埽长六十步。有水工高超者献议：以为埽身太长，人力不能压，埽不至水底，故河流不断，而绳缆多绝。今当以六十步为三节，每节埽长二十步，中间以索连属之。先下第一节，待其至底，方压第二第三。旧工争之，以为不可，云："二十步埽不能断漏，徒用三节，所费当倍，而决不塞。"超谓之曰："第一埽，水信未断，然势必杀半；压第二埽，止用半力，水纵未断，不过小漏耳；第三节乃平地施工，足以尽人力处置。三节既定，即下两节自为浊泥所淤，不烦人功。"申锡主前议，不听超说。是时贾魏公帅北门，独以超之言为然，阴遣数千人于下流收漉流埽。既定而埽果流，而河决愈甚，申锡坐谪。卒用超计，商胡方定。

## 音义

　　【北都商胡】宋以大名为北京。商胡在今河南濮阳县东。【董作】监工。董：监督。【垂】将，快要。【埽 sào】有二义。一为修堤之特种材料。《宋史·河渠志》云："凡伐芦荻谓之'芟'，伐山木榆柳枝叶谓之'梢'，辫竹纠芟为'索'。以竹为巨索，长十尺至百尺有数等。先择宽平之所为埽场。'埽'之制：密布芟索，铺梢，梢芟相重，压之以土，杂以碎石，以巨竹索横贯其中，谓之'心索'，卷而束之。复以大芟索系其两端，别以竹索自内旁出。其高至数丈，其长倍之。凡用丁夫数百或千人，杂唱齐挽，积置于卑薄之处，谓之'埽岸'。既下，以橛臬阂之，复以长木贯之。其竹索皆埋巨木于岸以维之。"又积埽而成之堤，亦称"埽"，《河渠志》于上引文之下复云："凡缘河诸州：孟州有河南北凡二埽，开封府有阳武埽……澶州有濮阳、大韩、大吴、商胡、王楚、横陇、曹村、依仁、大北、冈孙、陈固、明公、王八，凡十三埽……"依此篇所记，埽之下水，可分上中下三节，则所云"埽长六十步"及"埽身太长"之"长"皆《志》所谓"高"也。【合龙门】龙门山横跨晋陕间黄河两岸，河流甚窄，古代传为禹导河至此，凿以通流。"合龙门"云云，或取义于此。今但云"合龙"。【属 zhǔ】续。连～，接连。【信】诚，固。【杀 shài】减。【贾魏公】贾昌朝，真宗仁宗时人，英宗时封魏国公。河决商胡时，昌朝方判大名府，兼河北安抚使。【北门】喻北京。【漉 lù】滤，此处为"于

242

水中拦止"之意。 【坐】下省"此"字。入于罪曰"坐",如云"连坐"、"反坐"。"坐此":因此事而获罪。

## 讨论

1. 河决商胡,为北宋一大事。王莽始建国三年河决魏邦,泛清河、平原、济南至千乘入海。后汉明帝永平中王景修之,遂为大河之经流。语其方位,与今之河道相近。宋仁宗庆历八年,河决商胡埽,其后分为二派:北流合永济渠,至乾宁军(今青县)入海,为大河正溜;东流合马颊河至无棣县入海。其后屡议塞商胡,复故道,而不果行,未闻合口。此篇末云"卒用超计,商胡方定",未详。

2. 一切技术的进步都在于肯尝试,试以此意评论本篇所记诸人之态度。

### 包孝肃

包孝肃尹京号为明察有编民犯法当杖脊吏受赇与之约曰今见尹必付我责状汝第呼号自辩我与汝分此罪汝决杖我亦决杖既而包引囚问毕果付吏责状囚如吏言分辩不已吏大声诃之曰但受脊杖出去何用多言包谓其市权抑吏于庭杖之十七特宽囚罪止从杖坐以抑吏势不知乃为所卖卒如素约小人为奸固难防也孝肃天性峭严未尝有笑容人谓包希仁笑比黄河清

## 音义

　　【包孝肃】包拯（九九九——一〇六二），字希仁，宋名臣，曾任龙图阁直学士，后知开封府。性峭直，立朝以刚毅称。卒谥"孝肃"。后世小说中称包公或包龙图。　　【编民】老百姓。民户编列于册籍，谓之"编户"。《汉书·高帝纪》："诸将故与帝为编户民。"　　【尹京】知开封府事。宋以开封为京师，虽有"牧"、"尹"之官，并不常设，只有"权知府事"一人，是实际上的首长。这里用"尹"字作動，似乎说包拯做开封府尹，是不对的，但当时民间似即称知开封府者为"尹"，传世小说戏剧中固已屡见"大尹"一词也。　　【责状】要供状。　　【第】只。【决】判刑。　　【杖】不云杖脊者杖臀，为较轻之刑。本节记包拯所用刑，为宋代折杖之制。徒刑：二年，折脊杖十七；一年，十三。杖刑：八十，折臀杖十七；六十，十三。　　【市权】卖弄威权。　　【捽】抓住头发（拉他）。　　【从杖坐】按杖刑判处。

## 讨论

　　1. 解释：（1）卒如素约；（2）为奸；（3）笑比黄河清。

　　2. 书吏之能为奸，因其习知包拯性情。若包拯一切依法，本篇所记之事当无缘发生。但猾吏利用法律以为奸，是否仍有可能？

　　　郭进

　　郭进有材略累有战功尝刺邢州今邢州城乃进所筑其

244

厚六丈至今坚完铠仗精巧以至封贮亦有法度进于城北治
第既成聚族人宾客落之下至土木之工皆与乃设诸工之席
于东庑群子之席于西庑人或曰诸子安可与工徒齿进指诸
工曰此造宅者指诸子曰此卖宅者固宜坐造宅者下也进死
未几果为他人所有今资政殿学士陈彦升宅乃进旧第东南
一隅也

## 音义

【郭进】出身贫贱，先为五代汉主刘知远部将，历周入宋，
屡有战功，后为护军内侍所侵，自尽死。 【材略】将材与军
略。 【刺】做刺史。其实宋朝只称"知某州事"。 【邢州】今
河北省邢台县。 【铠 kǎi】甲胄。 【仗】兵器。 【落】落成，
庆祝房屋完工。 【庑 wǔ】廊房。 【齿】并列，相比。 【陈
彦升】名荐，宋仁宗神宗时人。

## 讨论

1. 或人为何说诸子不宜与工人并列？郭进为何能破除这种
成见？与其出身有关否？

2. "以至封贮，亦有法度"，封贮什么？

### 县令

蒋堂侍郎为淮南转运使日属县例致贺冬至书皆投书
即还有一县令使人独不肯去须责回书左右谕之皆不听以

至呵逐亦不去曰宁得罪不得书不敢回邑时苏子美在坐颇
骇怪曰皂隶如此野很其令可知蒋曰不然审必健者能使人
不敢慢其命令如此乃为一简答之方去子美归吴中月余得
蒋书曰县令果健者遂为之延誉后卒为名臣或云乃天章阁
待制杜杞也

## 音义

　　【蒋堂】字希鲁，宋真宗仁宗时人，历官内外，以礼部侍郎
致仕。　【苏子美】名舜钦，宋代文学家。　【皂隶】皆古贱役之
称，后专指衙署执役者。　【很】字书曰："不听从也。"坚持不
让。　【审】推究，推想。　【慢】怠～。　【健者】能干的人。
【延誉】赞扬。　【杜杞】字伟长，宋真宗仁宗时人，历官州郡，
在西南时尤久，以干练称。后以天章阁待制为环庆路经略安抚
使，知庆州（今甘肃庆阳县），卒于任。

## 讨论

　　1. 贺冬至书亦只寻常问讯，何以此县令必责回书？
　　2. 苏蒋二人对此县令之看法不同，读者以为如何？

### 陕西盐法

　　陕西颗盐旧法官自般运置务拘卖兵部员外郎范祥始
为钞法令商人就边郡入钱四贯八百售一钞至解池请盐二
百斤任其私卖得钱以实塞下省数十郡般运之劳异日辇车

246

牛驴以盐役死者岁以万计冒禁抵罪者不可胜数至此悉免
行之既久盐价时有低昂又于京师置都盐院陕西转运司自
遣官主之京师食盐斤不足三十五钱则敛而不发以长盐价
过四十则大发库盐以压商利使盐价有常而钞法有定数行
之数十年至今以为利也

## 音义

【务】收税之处为"务",其后市易之场亦称"务"。【拘
卖】宋人语,即发卖之意。【解池】在山西解县与安邑县之
间,盛产盐,世称"解盐",为池盐中之最著者。其地在宋时属陕
西路。【輂】⑩挽,拉。【冒禁】冒,犯也。"冒险"之"冒"亦
同此义。【抵罪】判~。

## 讨论

"使盐价有常而钞法有定数"何解?当时盐价何以有低昂?
盐价低昂如何能影响钞法?

### 运粮

凡师行因粮于敌最为急务运粮不但多费而势难行远
予尝计之人负米六斗卒自携五日干粮人饷一卒一去可十
八日米六斗人食日二升二人食之十八日尽若计复回止可进九
日二人饷一卒一去可二十六日米一石二斗三人食日六升八日

则一夫所负已尽给六日粮遣回后十八日二人食日四升并粮若计
复回止可进十三日前八日日食六升后五日并回程日食四升并粮
三人饷一卒一去可三十一日米一石八斗前六日半四人食日八
升减一夫给四日粮中七日三人食日六升又减一夫给九日粮后十
八日二人食日四升并粮计复回止可进十六日前六日半日食八
升中七日日食六升后十一日并回程日食四升并粮三人饷一卒极
矣若兴师十万辎重三之一止得驻战之卒七万人已用三十
万人运粮此外难复加矣放回运夫须有援卒缘师行死亡疾病人
数稍减且以所减之食准援卒所费运粮之法人负六斗此以总数
率之也其间队长不负樵汲减半所余皆均在众夫更有死亡疾
病者所负之米又以均之则人所负常不啻六斗矣故军中不容
冗食一夫冗食二三人饷之尚或不足若以畜乘运之则驼负三
石马骡一石五斗驴一石比之人运虽负多而费寡然刍牧不时
畜多瘦死一畜死则并所负弃之较之人负利害相半

## 音义

　　【师】军队。　【因粮于敌】军队侵入敌境，取其粮食。　【辎
重】军队之器材行李。　【率 shuài】大概，平均计算。　【樵汲】
打柴取水的，伙夫。　【冗 rǒng 食】吃闲饭。　【畜乘】牲口。
【刍牧】喂养。刍：以干草饲牛马。牧：放牛马令食青草。　【瘦
死】"瘦"疑是"瘐"之误，饥寒疾病而死曰"瘐死"。

## 讨论

1. "人"与"卒"在此篇中意义有何同异?

2. 试复核作者的计算,有不合者否?(如"米六斗,人食日二升,二人食之",只足十五日,何以云"十八日尽"?"米一石二斗,三人食,日六升,八日",才四斗八升,何以云"一夫所负已尽"?)能说明其实不误否?(注意"并粮"二字。)

## 阳燧

阳燧照物皆倒中间有碍故也算家谓之格术如人摇橹臬为之碍故也若鸢飞空中其影随鸢而移或中间为窗隙所束则影与鸢遂相违鸢东则影西鸢西则影东又如窗隙中楼塔之影中间为窗所束亦皆倒垂与阳燧一也阳燧面洼以一指迫而照之则正渐远则无所见过此遂倒其无所见处正如窗隙橹臬腰鼓碍之本末相格遂成摇橹之势故举手则影愈下下手则影愈上此其可见阳燧面洼向日照之光皆聚向内离镜一二寸光聚为一点大如麻菽着物则火发此则腰鼓最细处也岂特物为然人亦如是中间不为物碍者鲜矣小则利害相易是非相反大则以己为物以物为己不求去碍而欲见不颠倒难矣哉酉阳杂俎谓海翻则塔影倒此妄说也影入窗隙则倒乃其常理

## 音义

【阳燧 suì】凹面铜镜,取火于日之具。阳:太阳。燧:取火具。 【臬 niè】木桩。 【腰鼓】一名细腰鼓，两头大，中间细。 【菽】豆。 【《酉阳杂俎》】唐段成式著。

## 讨论

1. 阳燧倒影与凸透镜的现象完全相同，在现代光学上如何解释？

2. 作者说明倒影之理，用别种物象取譬，曰"碍"，曰"束"，究竟何者更为近似？

3. 解释：（1）本末相格；（2）以己为物，以物为己。

## 三十一　论变盐法事宜状　韩愈

右奉勅，将变盐法，事贵精详，宜令臣等各陈利害可否闻奏者。平叔所上变法条件，臣终始详度，恐不可施行。各随本条，分析利害，如后。

一件，平叔请令州府差人自粜官盐，收实估匹段，省司准旧例支用，自然获利一倍已上者。臣今通计所在百姓，贫多富少。除城郭外，有见钱籴盐者，十无二三，多用杂物及米谷博易。盐商利归于己，无物不取；或从赊贷升斗，约以时熟填还。用此取济，两得利便。今令州县人吏坐铺自粜，利不关己，罪则加身，不得见钱及头段物，恐失官利，必不敢粜。变法之后，百姓贫者无从得盐而食矣。求利未得，敛怨已多，自然坐失盐利常数。所云获利一倍，臣所未见。

一件，平叔又请，乡村去州县远处，令所由将盐就村粜易，不得令百姓阙盐者。臣以为：乡村远处或三家五家，山谷居住，不可令人吏将盐家至户到。多将则粜货不尽；少将则得钱无多，计其往来，自充粮食不足。比来商人或自负担斗石，往与百姓博易，所冀平价之上，利得三钱两钱；不比所由为官所使，到村之后，必索百姓供应。

所利至少，为弊则多，此又不可行者也。

一件，平叔云：所务至重，须令庙堂宰相充使。臣以为：若法可行，不假令宰相充使；若不可行，虽宰相为使无益也。又，宰相者，所以临察百司，考其殿最；若自为使，纵有败阙，遣谁举之？此又不可者也。

一件，平叔又云：法行之后，停减盐司所由粮课，年可收钱十万贯。臣以为：变法之后，弊随事生，尚恐不登常数，安得更望赢利？

一件，平叔欲令府县粜盐，每月更加京兆尹料钱百千，司录及两县令每月各加五十千，其余观察及诸州刺史、县令、录事参军，多至每月五十千，少至五千三千者。臣今计此，用钱已多，其余官典及巡察手力所由等粮课，仍不在此数。通计所给，每岁不下十万贯。未见其利，所费已广。平叔又云：停盐司诸色所由粮课，约每岁合减得十万贯钱。今臣计其新法，亦用十万。不啻减得十万，却用十万，所亡所得，一无赢余也。

平叔又请以粜盐多少为刺史、县令殿最：多者迁转，不拘常例；如阙课利，依条科责者。刺史、县令，职在分忧，今惟以盐利多少为之升黜，不复考其治行，非唐虞三载考“绩”，黜陟幽明之义也。

一件，平叔请定盐价每斤三十文；又，每二百里每斤价加收二文，以充脚价，量地远近险易，加至六文；脚价

252

不足，官与出。名为每斤三十文，其实已三十六文也。今盐价，京师每斤四十，诸州则不登此。变法之后，祇校数文，于百姓未有厚利也。脚价用五文者，官与出二文；用十文者，官与出四文。是盐一斤，官槖得钱名为三十，其实斤多得二十八，少得二十六文，折长补短，每斤收钱不过二十六七；百姓折长补短，每斤用钱三十四：则是公私之间每斤常失七八文也。下不及百姓，上不归官家，积数至多，不可遽算。以此言之，不为有益。

平叔又请令所在，及农隙时，并召车牛，般盐送纳都仓，不得令有阙绝者。州县和雇车牛，百姓必无情愿，事须差配，然付脚钱。百姓将车载盐，所由先皆无检，齐集之后，始得载盐。及至院监请受，又须待其轮次，不用门户，皆被停留。输纳之时，人事又别。凡是和雇，无不皆然。百姓宁为私家载物，取钱五文；不为官家载物，取十文也。不和雇则无可载盐，和雇则害及百姓，此又不可也。

一件，平叔称：停减盐务所由，收其粮课，一岁尚得十万贯文。今又称：既有巡院，请量闲剧，留官吏于仓场勾当，要害守捉；少置人数，优恤粮料，严加把捉，如有漏失、私槖等，并准条处分者。平叔所管盐务所由，人数有几？量留之外，收其粮课，一岁尚得十万贯，此又不近理也。比来要害守捉，人数至多，尚有漏失、私槖之弊，今又减置人数，谓能私盐断绝，此又于理不可也。

一件，平叔云：变法之后，岁计必有所余，日用还恐不足，谓一年已来，且未责以课利，后必数倍校多者。此又不可。方今国用常言不足，若一岁顿阙课利，为害已深；虽云明年校多，岂可悬保。此又非公私蓄积尚少之时可行者也。

一件，平叔又云：浮寄奸猾者转富，土著守业者日贫，若官自粜盐，不问贵贱贫富，士农工商，道士僧尼，并兼游惰，因其所食，尽输官钱；并诸道军诸使家口亲族，递相影占，不曾输税，若官自粜盐，此辈无一人遗漏者。臣以此数色人等，官未自粜盐之时，从来籴盐而食，不待官自粜然后食盐也。若官不自粜盐，此色人等不籴盐而食，官自粜盐，即籴而食之，则信如平叔所言矣。若官自粜与不自粜，皆常籴盐而食，则今官自粜亦无利也。所谓知其一而不知其二，见其近而不见其远也。国家榷盐，粜与商人，商人纳榷，粜与百姓，则是天下百姓，无贫富贵贱，皆已输钱于官矣，不必与国家交手付钱然后为输钱于官也。

一件，平叔云：初定两税时，绢一匹直钱三千，今绢一匹直钱八百，百姓贫虚，或先取粟麦价，及至收获，悉以还债，又充官税，颗粒不残；若官中粜盐，一家五口所食盐价不过十钱，随日而输，不劳驱遣，则必无举债逃亡之患者。臣以为：百姓困弊，不皆为盐价贵也。今官自粜盐与依旧令商人粜，其价贵贱所校无多。通计一家五口所食之盐，平叔所计，一日以十钱为率，一月当用钱三百，是则三日食盐一斤，一月率当十斤。新法实价与旧每斤校三四钱以下[①]，通计五口之家，以平叔所约之法计之，贱于旧价，日校一钱，月校三十，不满五口之家所校更少。然则改用新法，百姓亦未免穷困流散也。初定税时，一匹绢三千，今只八百，假如特变盐法，绢价亦未肯贵。五口之家，因变盐法，日得一钱之利，岂能便免作债，收获之时不被征索，输官税后有赢余也？以臣所见，百姓困弊日久，不以事扰之，自然渐校，不在变盐法也。今绢一匹八百，百姓尚多寒无衣者，若使匹直三千，则无衣者必更众多。况绢之贵贱皆不缘盐法？以此言之，盐法未要变也。

一件，平叔云：每州粜盐不少，长吏或有不亲公事，所由浮词，云当界无人籴盐：臣即请差清强巡官，检责所在实户，据口团保，给一年盐，使其四季输纳盐价；口多粜少及盐价迟违，请停观察使见任，改散慢官，其刺史以下贬与上佐，其余官贬远处者。平叔本请官自粜盐，以宽百姓，令其苏息，免更流亡。今令责实户口，团保给盐，令其随季输纳盐价，所谓扰而困之，"非"前意也。百姓贫家食盐至少，或有淡食，动经旬月；若据口给盐，依时征价，办与不办，并须纳钱。迟违及违条件，观察使已下各加罪谴，苟官吏畏罪，必用威刑。臣恐因此所在不安，百姓转致流散，此又不可之大者也。

一件，平叔请限商人，盐纳官后，不得辄于诸军诸使觅职掌，把钱捉店，看守庄硙，以求影庇；请令所在官吏严加访察，如有违犯，应有资财并令纳官，仍牒送府县充所由者。臣以为：盐商纳榷，为官粜盐，子父相承，坐受厚利，比百姓实则校①优。今既夺其业，又禁不得求觅职事及为人把钱捉店，看守庄硙，不知何罪，一朝穷蹙之也？若必行此，则富商大贾必生怨恨，或收市重宝，逃入反侧之地，以资寇盗，此又不可不虑也。

一件，平叔云：行此策后，两市军人，富商大贾，或行财贿，邀截喧诉：请令所由切加收捉，如获头首，所在决杀，连状聚众人等各决脊杖二十；检责军司，军户盐如有隐漏，并准府县例科决，并赏所由告人者。此一件若果行之，不惟大失人心，兼亦惊动远近。不知粜盐所获几何，而害人蠹政，其弊实甚。

以前件状，奉今月九日敕令臣等各陈利害者，谨录奏闻，伏听敕旨。

①"校"字上原有"不"字，不可通，故删。

## 作者及篇题

韩愈（七六八—八二四），字退之，昌黎人，唐代的大文豪。幼孤，刻苦为学，登进士第，官做到吏部侍郎，卒谥文，后世称韩文公或韩昌黎。他的思想是崇尚儒家，排斥佛、老。他的文章效法先秦、西汉，一反魏晋以来的对偶柔靡的风气，苏轼称他"文起八代之衰"（八代指东汉、魏、晋、宋、齐、梁、陈、隋），明朝人把他列在唐宋八大家之首（其余七人是柳宗元、欧阳修、王安石、曾巩、苏洵、苏轼、苏辙）。他的诗也很有名，有人说他的诗比他的文好。这里选录的一篇是奉敕论时政的实用文，虽然不足以表现他的"古文"风格，但分析事理，朴实无华，也代表一种文体。

唐朝的榷盐制度是由公家统制生产，卖给盐商，由盐商卖给百姓。盐商往往勾结官吏，获取厚利。唐穆宗长庆二年，户部侍郎张平叔以为由公家自己卖盐，可以富国强兵，上疏陈利害十八条。诏下其说令公卿详议。韩愈与韦处厚都加以诘难，事遂不行。"状"是以陈述事实为主的一种文体。

## 音义

【右】"关于右件"的省略说法，本文的前面是附有张平叔的原条陈的。　【敕 chì】皇帝的诏命。（≡敕。）　【可否】可行与否。此处是"陈"的宾语，不是"闻奏"的修饰语。　【者】古时公文里的虚字，相当于后世公文里的"等因"或一般文字里的"云云"。　【条件】条例，章程。≠今之"条件"。　【度】考虑。

【官】公家，公家的。　【估】价。　【匹段】指织物，犹今言"匹头"。唐朝的货币是钱和绢（及绫、布等）并用的。

【省司】政府各部门。唐朝的中央政府有尚书，门下，中书，秘书，殿中，内侍六省，尚书省是最重要的行政机关，下面又分二十几个司。 【准】依照。 【通计】平均计算。 【所在】各地。 【城郭】城市。 【见钱】见＝现。 【博易】以物易物。【从】听任。 【升斗】指盐。 【时熟】有收获时。 【坐铺】开张店铺。古时卖物者铺陈于地，故名"铺"；卖者坐守其旁，故曰"坐铺"。 【头段物】上等绢布。 【敛怨】招怨。

【所由】吏役。 【将】携带。≠把。 【货】⑩卖。 【比来】一向以来。≠近来。 【庙堂】朝廷。 【不假】不赖。 【充使】唐朝管盐务的有时称盐铁使，有时称榷盐使，常以侍郎以下的官充任。 【百司】百官。 【殿最】优劣。殿：最劣。最：最优。 【纵】倘若。≠即使。 【败阙】错失。

【盐司】盐铁使的官署。 【粮课】粮饷。 【登】达到。

【京兆尹】唐朝首都所在的京兆府，东都（洛阳），北都（太原），以及凤翔、成都等处，地位比其他府州特尊，首长称"尹"。 【料钱】官俸。 【司录及两县令】京兆等府在尹及少尹之下有司录参军事二人。京兆府府治所在为万年、长安两县。 【观察】～～使，地位次于节度使的各道长官，职司民政。 【录事参军】即"～～～～事"，官名，为诸府诸州的主要佐吏（另有"录事"与"参军事"，地位在其下）。 【官典】典管之官吏。 【手力】士卒。 【诸色】各种。 【不啻】无异。

【迁转】升官。 【课利】定额的赋税收入。课：税。 【科责】处分。 【分忧】分天子之忧。 【治行】治理的成绩。【三载考绩，黜陟幽明】进退官吏。《尚书·舜典》："三载考绩,三考黜陟幽明。"黜:斥退。陟(zhì):升进。幽:愚暗,糊涂。明:贤~。

【脚价】运费。　【校 jiào】相差。(≡较。)

【及】乘。　【般】≡搬。　【和雇】公家雇用而与以工值,别于征发而言。和:双方同意。　【然】~后。　【院监】指盐务衙门。　【请受】领款(指付脚价)。　【门户】走门路。　【人事又别】另外又要贿赂。

【闲剧】事务的简或繁。　【勾当】管理,办事。　【要害】紧要道路,关口。　【守捉】检查(本义为守望和捕捉)。　【优恤】从优发给。

【且未】且勿。　【悬保】预为保证。悬:远。

【浮寄】甲地人寄居乙地。　【影占】冒名,或冒用身份以取利或免税免役,如甲物之影遮掩乙物。　【输税】纳税。　【榷 què】税。本义是专卖取利,后来变成"税"的同义字,仍只用于茶、酒、盐等物。　【交手】当面,直接。

【两税】唐朝德宗以后所用税法,分夏秋两税,后世沿用,一直到解放前还分"上忙"、"下忙"。

【残】剩,余。　【举债】借债。　【困弊】困苦。弊:困。【率】大约。　【作债】借债。　【渐校】渐渐的减少(指百姓的困弊)。　【未要】不要。

【当界】本地。　【团保】犹如解放前某些地区之连环保。【迟违】逾期。　【散慢官】闲缺,无事亦无权的官。　【贬与】与:⑩给与。　【上佐】高级的佐治官,如司马与录事参军事之于刺史,县丞之于县令。　【动】动辄,动不动。　【办与不办】

办得到与办不到，有力量与无力量。

【把钱捉店】管钱财，守店铺。　【庄碓 duì】庄园，磨坊。碓：磨石。　【应有】所有，全部。　【牒】公文，此处作"备公文"讲。　【实则】确实是。　【一朝】一旦，骤然。　【穷】极。　【蹙 cù】逼迫。　【市】买。　【反侧】反覆，谋叛。【资】~助。　【两市】唐代长安有东西两市。　【喧诉】喧闹，诉愿。　【所在】就地。　【决】判罪。　【连状】连署名字于文书，此处指附和的人。　【脊杖】施杖于背，为杖刑之较重者。【检责军司】检查部队。　【军户盐】军人另有军户籍，不属府县。　【蠹政】败坏政治。

## 讨论

1. 这是一篇辩论文，第一段和末一段说明写作动机，当中各段把对方的主张逐条驳斥。我们读这种文章，不但要明了双方的意思，最好还要能判别他们的是非曲直。这不是很容易的事情：除了推理的健全以外，我们还要注意事实的正确，可是所能凭借的只有面前的一篇文字，对于事实若有疑问，无从向作者追问。在这一点上，被驳诘的一方尤为不利，因为他没有补充说明事实的机会。以目前这一篇而论，似乎韩愈已经把张平叔驳得体无完肤，难道张平叔真是这样头脑简单，他的主张真是这样的毫无理由吗？请读者记住这一点，把本文重读一遍，作较公平的审辨。

2. 第二段，张云公家粜盐，获利一倍，那末照原来办法这一部分利益归于何处？韩文说无一倍之利，为什么？他的话有无道理？

3. 第三段，张韩两人的意见哪一个较为有理？

4. 第四段，韩说"若法可行，不假令宰相充使；若不可行，虽宰相为使无益"，这是就原则说。在事实上，用宰相充使跟用一个较小的官，是不是会收到不同的效果？

5. 第五、第六、第七各段双方理由强弱如何？

6. 第八段，韩说"公私之间每斤常失七八文"，这个钱到哪里去了？盐商粜盐是不是也需要用脚价，这笔钱是不是加在盐价上？从这一点看，韩文的论据是否还足够坚强？

7. 第九段，韩文论"和雇"之弊，合事实否？可纠正否？

8. 第十段，张平叔主张裁减员役，提高待遇，以为可以增加效率并节省经费。他根据什么理由作这样主张？韩愈的反驳考虑到这个理由没有？

9. 第十二段，张云"不曾输税"，指的是盐税还是别的税？若是盐税，那末公家专卖是直接抽税，公家卖给盐商，盐商卖给百姓，是间接抽税，确是如韩文所说，"天下百姓，无贫富贵贱，皆已输钱于官"，两种办法并没有多大分别。寻绎张平叔原条陈的意义，这个"税"是指平常的赋税，他的意思是要拿食盐专卖来抵补平常的赋税，使逃于彼者不能逃于此。（两税法以田地房产为对象，商人可以避重就轻，僧尼道士官吏军人皆得免税。）韩愈没有批评他这一点。读者试批评之。

10. 第十三段，从张平叔原条陈看来，好像确是主张减免百姓的赋税，用食盐专卖来代替，否则不能自圆其说。韩愈则假定赋税照旧，所以才有"因变盐法，日得一钱之利，岂能便免作债……"之说。我们看不到张平叔原条陈的全文，不知道是否包括减免赋税这一项。如果不包括，那么韩愈的批评就很中肯，否则应当从另一角度来批评他。

11. "初定两税时，绢一匹直钱三千，今绢一匹直钱八百"，跟"百姓贫虚"有什么关系？（《唐书·食货志》："自初定两税，货重钱轻，乃计钱而输绫绢。既而物价愈下，所纳愈多，……虽赋不增旧，而民愈困矣。"）韩愈说"今绢一匹八百，百姓尚多寒无衣者，若使匹直三千，则无衣者必更众多"。若是百姓是用钱买布帛做衣服，他的话是对的，若是布帛是百姓自织，纳税要用布帛，并且要把布帛折算钱数，那么韩愈的话还有道理没有？

12. 第十四段，你对于张平叔的办法和韩愈的批评有什么意见？

13. 从第十五段和第十六段所引张平叔条陈原文看起来，当时商人的势力如何？军人的势力如何？张平叔主张加以裁制，韩愈反对，他的理由是什么？

14. 综观全篇，哪几段最重要？韩愈的诘难，哪几项关于原则？哪几项是技术问题？

15. 从本篇所看到的唐代的官僚政治和豪门势力如何？在官僚政治底下，食盐商营和公卖的比较利弊如何？张平叔想在官僚政治之下行公卖制度，其可能的效果如何？韩愈假定官僚政治不能动摇，因而拿可能产生的流弊来反对变更盐法，这种立场的评价如何？

## 三十二 律诗八首

过故人庄 孟浩然
故人具鸡黍 邀我至田家 绿树村边合 青山郭外斜 开轩面场圃 把酒话桑麻 待到重阳日 还来就菊花

送友人 李白
青山横北郭 白水绕东城 此地一为别 孤蓬万里征 浮云游子意 落日故人情 挥手自兹去 萧萧班马鸣

月夜忆舍弟 杜甫
戍鼓断人行 边秋一雁声 露从今夜白 月是故乡明 有弟皆分散 无家问死生 寄书常不达 况乃未休兵

喜见外弟又言别 李益
十年离乱后 长大一相逢 问姓惊初见 称名忆旧容 别来沧海事 语罢暮天钟 明日巴陵道 秋山又几重

晚秋归故居　　　　　　　　　　　　　　李昌符

马省曾行处　连嘶渡晚河　忽惊乡树出　渐识路人多
细径穿禾黍　颓垣压薜萝　乍归犹似客　邻叟亦相过


客至<sup>喜崔明府见过</sup>　　　　　　　　　　　　　　杜甫

舍南舍北皆春水　但见群鸥日日来　花径不曾缘客
埽　蓬门今始为君开　盘飧市远无兼味　樽酒家贫只旧
醅　肯与邻翁相对饮　隔篱呼取尽余杯


寄李儋元锡　　　　　　　　　　　　　　韦应物

去年花里逢君别　今日花开又一年　世事茫茫难自
料　春愁黯黯独成眠　身多疾病思田里　邑有流亡愧俸
钱　闻道欲来相问讯　西楼望月几回圆


西塞山怀古　　　　　　　　　　　　　　刘禹锡

王浚楼船下益州　金陵王气黯然收　千寻铁锁沉江
底　一片降幡出石头　人世几回伤往事　山形依旧枕寒
流　从今四海为家日　故垒萧萧芦荻秋


## 作者、篇题及音义

过故人庄

【过 guò】访问。　【故人具鸡黍】《后汉书》：范式与张邵

264

为友，式约二年后访邵。至期，邵告其母，请杀鸡为黍待之。至期，果至。"鸡黍"始见于《论语》：荷蓧丈人"止子路宿，杀鸡为黍而食之"。　【轩】门，一说是窗。　【面】朝对。　【场圃】《诗·豳风·七月》："九月筑~~。"场：晒庄稼打谷子的地方。圃：菜园。　【桑麻】陶潜诗："相见无杂言，但道桑麻长。"桑是制造蚕丝的原料，麻是织布的原料（宋以前棉花未入中国）。

送友人

【白水】南阳城东有白水（今名白河），源出伏牛山，流至襄阳入汉水。李白这首诗可能是在南阳作的，诗集里有《游南阳白水》、《南阳送客》等诗。　【蓬】即"飞蓬"，菊科植物。《埤雅》："蓬，末大于本，遇风辄拔而旋。"【征】行。　【萧萧】《诗·小雅·车攻》："萧萧马鸣。"【班马】《左传》襄公十八年："有~~之声"，杜预注，"班：别也。"

月夜忆舍弟

【戍鼓】入暮鸣鼓，犹之现在的戒严。　【休兵】停止战争。兵：武器，武事。

喜见外弟

【外弟】姑母之子。　【沧海】《神仙传》："麻姑谓王方平曰：'接侍以来，已见东海三为桑田。'"后人多用"沧海桑田"或"沧桑"譬喻世事变迁之速。　【巴陵】今湖南省岳阳县。

晚秋归故居

【李昌符】（八二四——？）字岩梦，唐懿宗咸通四年进士。官膳部员外郎。　【省 xǐng】辨别，认识。　【嘶】马鸣。　【薛萝】薜荔（bì lì）：蔓生灌木。女萝：即松萝，地衣类植物。自从《楚辞·九歌》里有"若有人兮山之阿，被薜荔兮带女萝"之句，后人常以二者连用。　【乍】刚刚，初初。

客至

【明府】汉人称太守曰府君，或曰明府君，或曰明府。唐人以称县令。　【蓬门】《史记·游侠传》："故季次、原宪终身空室蓬户。"编蓬为门，贫人之居。此处是谦词。　【兼味】不止一种菜。　【醅 pēi】酒之未漉者。　【"肯与"句】这是个问句。【呼取】"取"是唐宋时常用的动词助字，多用于行为之未完成者。

寄李儋

【思田里】想弃官归乡。

西塞山怀古

【西塞山】一名道士矶，在今湖北省大冶县东九十里。【王浚】晋朝的大将，晋武帝谋伐吴，叫他做益州刺史，修造大船，以木为城，上起楼橹，一船容二千余人，船上能驰马。后来就用这些船顺长江而下。　【益州】汉置，当今四川省地。　【寻】八尺。　【铁锁】铁链。《晋书·王浚传》："吴人于长江险碛要害之处并以铁锁横截之。……浚乃作火炬长十余丈，大数十围，灌以麻油，在船前。遇锁燃炬烧之，须臾融液断绝，于是船无所碍。"　【降幡】《王浚传》：吴主孙皓"闻浚军旌旗器甲属天满江，威势甚盛，莫不破胆……送降文于浚……浚入于石头"。【石头】孙权定都秣陵，建～～城。即今南京城之西北部。　【四海为家】天下统一。《汉书·高帝纪》："天子以～～～～。"

## 诗体略说

律诗的格局起始于南北朝的末年，而体式的固定以及"律诗"这个名称的出现则在初唐。律诗的声律与绝句相同（参看227页），就是把绝句的四句重复一遍成为八句——第五句重复第一句的甲式，因为第五句是不押韵的。就押韵来说，律诗和绝句不同，几乎没有押仄声韵的；就第一句而论，五律以不押韵为常，七律以押韵为常，这一点又和绝句相同。律诗的句法，八句分为四联：起联，颔联，颈联（又称"腹联"），尾联（又称"结句"或"落句"）。颔联和颈联必须是对偶句，起联和尾联可对可不对。

## 讨论

1.《过故人庄》说"具鸡黍"、"面场圃"、"话桑麻"，是不是真的只预备了鸡和黍，只看见场和圃，只谈论桑和麻？这些词语各自代表什么？假如改用较富包括性的词语，效果怎么样？为什么？这首诗的章法：头两句说明被邀而至田家，当中四句写景写事，末两句作后约，纯依事情发生的次序，自然而完整，是律诗的一般典型。

2."浮云游子意，落日故人情"，这两个譬喻怎么讲？王琦注："浮云一往而无定迹，故以比游子之意；落日衔山而不遽去，故以比故人之情"，这个解释怎么样？"萧萧班马鸣"，除写实外，有没有别的意义？这首诗先写外景，第三四句点题，章法和前一首小异。起联用对偶句，颔联一意相承，似对非对，从前人称为"流水对"。

3.《月夜忆舍弟》前四句写处境（战时，远方，秋天，月夜），乃为"忆"字作势，并非泛泛，后四句直说忆念之苦，极沉痛。

4."问姓惊初见，称名忆旧容"，这两句怎么讲？"明日巴陵道，秋山又几重"，这两句怎么讲？

5."忽惊乡树出，渐识路人多"，这两句和前一首的"问姓惊初见，称名忆旧容"两句，都是人人有过的真实经验，一经诗人拈出，便成名句。"渐识路人多"，其实是"路上行人识者渐多"，"颓垣压薜萝"，其实是"薜萝压颓垣"，诗句比散文更加紧缩，也更多不守常例的词序。

6.《客至》这首诗的好处在哪里？从这首诗中窥见的杜甫的生活怎么样？心情怎么样？

7.《寄李儋》这首诗的用意是什么？（末联。）"西楼望月几回圆"和上句怎样联接？这首诗中间四句写自己的生活和心境，对于全诗的主旨有什么作用？

8.《西塞山怀古》前半首说什么？后半首说什么？人们为什么会"怀古"？

9.律诗当中四句必须是对偶句，这八首里有无例外？

10.试检验这八首的格律：哪几首是仄起平韵？哪几首是平起平韵？有没有仄声韵？哪几首的第一句是押韵的？哪些句子是拗句？

**图书在版编目(CIP)数据**

文言读本/朱自清,叶圣陶,吕叔湘编.—北京:生活·
读书·新知三联书店,2010.1 (2011.9重印)
(中学图书馆文库)
ISBN 978-7-108-03357-4

Ⅰ.文… Ⅱ.①朱…②叶…③吕… Ⅲ.古汉语-中国-
青少年读物 Ⅳ.I206-49

中国版本图书馆CIP数据核字(2009)第204223号

责任编辑　张　荷
装帧设计　朱　锷
责任印制　徐　方
出版发行　生活·讀書·新知 三联书店
　　　　　(北京市东城区美术馆东街22号)
邮　　编　100010
经　　销　新华书店
印　　刷　北京鹏润伟业印刷有限公司
版　　次　2010年1月北京第1版
　　　　　2011年9月北京第2次印刷
开　　本　787毫米×1092毫米 1/32　印张9
字　　数　180千字
印　　数　10,001-15,000册
定　　价　24.00元